IGLESIA Y MINISTERIO

Una pastoral pentecostal integral

IGLESIA Y MINISTERIO

Una pastoral pentecostal integral

Wilfredo Estrada Adorno
Editor

José C. Alicea
prólogo

Editorial UNILIMI

Publicado por Editorial UNILIMI
94 Technology Drive, Garner, NC 27529
Editorial unilimi.org
www.unilimi.org

ISBN: 9781737458548

ÍNDICE

Prólogo

Cuando me invitaron a escribir el prólogo sobre un libro acerca de la iglesia y el ministerio pentecostal de inmediato entendí que dicha obra debería reflejar la importancia entre una ortodoxia y una ortopraxis debidamente integrada por sus autores. Helo aquí en el presente volumen. En ese sentido no me equivoqué, pues en esta obra, siete pastores y ministros pentecostales y una educadora y ministra educacional pentecostal vierten las experiencias que sus años de servicio cristiano les han permitido acumular. Los conozco personalmente, he oído sus testimonios y visto el resultado de su trabajo. Ellos y ella han estado en la universidad del Espíritu en cuyas aulas se han pulido de la manera que un orfebre (joyero) diestro pule una joya hasta que la pueda exhibir para el deleite de todos. Esos conocimientos adquiridos han sido ofrecidos en esta concisa, pero importante obra que habrá de enriquecer a cada lector y lectora que a ella se acerque.

Anticipo que esta obra hará recordar, repensar y valorar las inescrutables riquezas que resultan del ser líder, ministros y ministras pentecostales. Cuando menciono a los pastores y pastoras pentecostales lo hago, no para indicar una categoría ministerial sino para identificar a hombres y mujeres que han asumido su llamado al ministerio con la convicción que es el mismo Espíritu Santo y no sus capacidades el que sostiene sus vidas de servicio. Los ministros y las ministras pentecostales existen en todas las denominaciones cristianas pues la experiencia carismática es heterogénea y multieclesial.

Este volumen es una prueba documentada que el ministro pentecostal es modelo de lo que debe ser el servidor cristiano. Los temas que en este libro se comparten cubren desde el comienzo, con el llamado al ministerio, la familia y la vida eclesiástica hasta las crisis más personales que todo ministro sea pentecostal o no pudiera enfrentar.

Consolidar los temas de la Iglesia y el ministerio pastoral pentecostal en un solo volumen es un esfuerzo titánico pero muy necesario. Bajo la experta orientación del editor doctor Wilfredo Estrada Adorno, los autores y la autora hemos compartido esos conocimientos que la vida cristiana en la iglesia pentecostal nos ha otorgado. Con lenguaje sencillo hemos abierto cada cofre con las experiencias ministeriales para dejarlo como legado a futuras generaciones de ministros. Los conocimientos adquiridos no llegaron de la noche a la mañana. Como los diamantes se forman con calor y presión asimismo los temas que este libro contiene se fueron forjando en fragor de la lucha hasta quedar cristalizados.

Estos temas son muy interesantes y se los comparto con mucho agrado en mis propias palabras: (1) La vida eclesiástica dentro y fuera del templo (2) El comportamiento (o ética) cristiana es mucho más que un sistema de normas prescritas (3) El desarrollo de los nuevos lideres a través de una relación saludable (4) La predicación pentecostal como catalizador para lograr cambios (5) La aceptación del llamado como el comienzo de un nuevo estilo de vida (6) El líder pentecostal ha sido diseñado para crecer ilimitadamente (7) La familia de los ministros y ministras pentecostales son tan especiales y a la vez normales como las demás. (8) Los ministros y ministras pentecostales no son super-personas, son humanos que también se cansan y precisan de ayuda. Les anticipo que en cada capítulo encontrará profundas confrontadoras verdades. "Las palabras de los sabios son como aguijones, y el conjunto de las palabras de los maestros, impartidas por un solo guía, son como clavos bien hincados",[1] por tanto deben ser valoradas.

Deseo señalar que al leer estos autores el lector encontrará consejos que serán como faros en la costa y que señalan el camino y advierten de los posibles peligros. Son verdades imperecederas probadas por el tiempo y la Palabra de Dios. Si las atendemos evitaremos una catástrofe. Hace algunos días leí lo siguiente:

> Un barco que discurría por un canal una noche de niebla. Era un canal muy traicionero, y el capitán apenas podía ver nada de lo que había delante de él. Esto sucedió en tiempos anteriores a los instrumentos de alta tecnología que los capitanes tienen ahora. Lo único que podía hacer el capitán para navegar por el canal era mirar adelante y dirigir el timón lo mejor que podía.
>
> Sin embargo, al mirar adelante, pareció ver una luz. El capitán supuso que la luz era un barco que se acercaba, de modo que envió un mensaje al capitán del otro barco: *"Vire tres grados norte para que no choquemos"*.
>
> Recibió otro mensaje: *"No, usted vire tres grados sur para que no haya un choque"*.
>
> El capitán se molestó por la respuesta, de modo que envió otra vez su propio mandato: *"¡Le dije que vire tres grados norte para que no choquemos!"*.
>
> Y recibió un nuevo mensaje: *"¡No, usted vire tres grados sur para que no haya colisión!"*.
>
> El capitán intentó entonces hacer valer su rango. *"Yo soy un capitán. Soy un oficial de la Marina estadounidense, ¡y demando que usted vire tres grados norte!"*.

---

[1] Eclesiastés 12:1, Santa Biblia Reina Valera Contemporánea. N2KT. Kindle Edition.

Y recibió este mensaje: *"Yo soy un faro. No me muevo"*.[2]

De la historia antes expuesta surge el consejo: Hay hombres y mujeres que han aprendido a discernir a través de sus vivencias las inconmovibles palabras de Dios y conviene escucharlos. A ese discernimiento lo llamamos experiencia. Veo en cada uno de los capítulos escritos un faro que alumbra, mientras navegamos por los intrincados canales del ministerio pentecostal contemporáneo.

Creo que la aportación de este volumen al campo de la teología pastoral pentecostal será pertinente y duradera. En primer lugar, porque señala de forma clara situaciones concretas que el líder y pastor pentecostal debe enfrentar en su vida personal y ministerial. En segundo lugar, convalida la experiencia ministerial como fuente epistémica dentro y fuera del salón de clases. Tercero, ofrece consejos prácticos adaptables a los diferentes contextos del servicio cristiano. En cuarto lugar, se establecen fundamentos de vida y práctica ministerial sobre los cuales las nuevas generaciones podrán construir y ampliar.

Este es un libro que nos invita a ascender en la búsqueda de la excelencia ministerial, pues los que escriben son líderes exitosos en sus campos de trabajo. A quienes tomen esta obra en sus manos, les insto a sacar tiempo para reflexionar sobre su contenido. Cada uno de los autores y la autora entrega algo de sí mismos en su escrito. Animo a los lectores a que contemplen su contenido como un todo. También que lo vean de forma personal para que puedan extraer esas ideas que son aplicables a su situación particular.

Termino con unas palabras del Rev. Adolfo De La Garza, pastor y coautor en este volumen, que creo

---

[2] Evans, Tony (2022-10-24T23:58:59.000). Los valores del reino (Spanish Edition) . Whitaker House. Kindle Edition.

representan el ánimo con el que cada autor y la autora ha escrito. Sus atinadas palabras son:

> "[C]reo firmemente que una congregación no irá más allá del nivel de su pastor. Dicho en términos Bíblicos, las Sagradas Escrituras nos dicen: "y será el pueblo como el sacerdote".[3] En este estudio estaré hablando sobre el liderazgo en la misión integral del pastor pentecostal.[4]

Y con esa misma motivación les invito a que le lean. ¡Adelante!

José Carlos Alicea
Decano Académico de la Universidad
y el Instituto de Liderazgo y Ministerio
Winter Haven, Florida

---

[3] Oseas 4:9 (RV1960).

[4] Ver el capítulo 6 *"El liderazgo en la misión integral del pastor pentecostal"* por Adolfo De La Garza en este presente volumen.

Introducción

La obra: ***IGLESIA Y MINISTERIO: Una pastoral pentecostal integral*** surge como producto literario de la gran *Cumbre sobre pastoral pentecostal,* celebrada el 27 y 28 de octubre de 2023 en la Iglesia de Dios (Cleveland, TN) Central Park en Garland, Texas. Este fue el sueño dorado que el pastor Adolfo De La Garza quería compartir con sus compañeros pastores. La intención de este evento y de esta obra literaria ha sido evaluar los retos pastorales que enfrentan los pastores y las iglesias pentecostales para desarrollar iglesias crecientes y pertinentes en las comunidades en donde sirven como faro de luz. De vez en cuando se oyen aseveraciones que articulan el siguiente mensaje: "Somos poquitos, pero buenos". La pregunta que de inmediato salta a la mente es: ¿Si son tan buenos, por qué son tan poquitos? La realidad es que tiene que haber intención y planificación para que haya crecimiento en las iglesias.

En esta obra le dedicamos espacio a analizar dos grandes vertientes de los desafíos que enfrentan las iglesias y los pastores para desarrollar iglesias crecientes y significativas para las comunidades a las que le sirven. Por un lado, examinamos el contenido del mensaje de la iglesia, la pertinencia del mismo para la comunidad, el cuidado de sus líderes y la manera como se entrega su mensaje. Por otro lado, se examina el liderazgo ministerial de la iglesia para ofrecerle dirección y ayuda en su responsabilidad de dirigir la vida y ministerio de la comunidad de fe. De igual manera, alertamos a los pastores y pastoras a enfrentar con firmeza las variadas funciones ministeriales que las iglesias les reclaman a sus pastores. Como es de esperarse, las funciones ministeriales son múltiples y compuestas y luchan por capturar la atención inmediata de los pastores y pastoras dentro de una gran gama de necesidades urgentes y necesarias. Los pastores y las pastoras tienen que iniciar un proceso de separar lo urgente de lo necesario. De igual manera, tiene que aprender a utilizar sus recursos económicos, humanos, físicos y tecnológicos de forma eficiente y pertinente sin precipitarse en sus decisiones innecesariamente.

Enfatizamos en esta obra que la iglesia es portadora de una misión que le ha sido encomendada por Dios mismo. Desde esa ubicación, la iglesia no posee una misión propia, sino proclama en su mensaje de esperanza la misión de Dios para el mundo, descrita en el Evangelio de Juan: "De tal manera amó Dios al mundo, que ha dado a su Hijo unigénito, para que todo aquel que en él cree no se pierda, sino que tenga vida eterna" (Juan 3.16). Es decir, la iglesia ha sido invitada por Dios para, en Jesucristo salvar al mundo por medio de la acción del Espíritu Santo. En esta acción el Espíritu capacita a la iglesia con dones carismáticos para que comparta con efectividad su proclamación de evangelio salvador a los que viven en sombra de muerte. La preparación carismática de la iglesia, por medio de la presencia del Espíritu en su adoración y pasión evangelizadora, le ofrece a la iglesia la capacidad para ser efectiva en su proclamación. Hay dos ejemplos de esta realidad que encontramos en el libro de Hechos de los Apóstoles. El Primero, el Día de Pentecostés, durante el sermón de Pedro para explicar el derramamiento del Espíritu. El relato dice lo siguiente:

> Al oír esto, se compungieron de corazón y dijeron a Pedro y a los otros apóstoles: Hermanos, ¿qué haremos? Pedro les dijo: Arrepentíos y bautícese cada uno de vosotros en el nombre de Jesucristo para perdón de los pecados, y recibiréis el don del Espíritu Santo, porque para vosotros es

la promesa, y para vuestros hijos, y para todos los que están lejos; para cuantos el Señor nuestro Dios llame. Y con otras muchas palabras testificaba y los exhortaba, diciendo: Sed salvos de esta perversa generación. Así que, los que recibieron su palabra fueron bautizados, y se añadieron aquel día como tres mil personas. Y perseveraban en la doctrina de los apóstoles, en la comunión unos con otros, en el partimiento del pan y en las oraciones (Hechos 2.37-42).

El segundo ejemplo ocurre durante la sanación del cojo que pedía limosna a la puerta la Hermosa del templo. El relato bíblico dice lo siguiente:

> Mientras el cojo que había sido sanado tenía asidos a Pedro y a Juan, todo el pueblo, atónito, concurrió a ellos al pórtico que se llama de Salomón. Al ver esto Pedro, habló al pueblo: «Israelitas, ¿por qué os admiráis de esto? ¿o por qué ponéis los ojos en nosotros, como si por nuestro poder o piedad hubiéramos hecho andar a éste? El Dios de Abraham, de Isaac y de Jacob, el Dios de nuestros padres, ha glorificado a su Hijo Jesús, a quien vosotros entregasteis y negasteis delante de Pilato, cuando éste había resuelto ponerlo en libertad. Pero vosotros negasteis al Santo y al Justo, y pedisteis que se os diera un homicida, y matasteis al Autor de la vida, a quien Dios resucitó de los muertos, de lo cual nosotros somos testigos. Por la fe en su nombre, a éste, que vosotros veis y conocéis, lo ha confirmado su nombre; y la fe que es por él ha dado a éste esta completa sanidad en presencia de todos vosotros. Pero ahora, hermanos, sé que por ignorancia lo habéis hecho, como también vuestros gobernantes. Pero Dios ha cumplido así lo que antes había anunciado por boca de todos sus profetas: que su Cristo habría de padecer. Así que,

> arrepentíos y convertíos para que sean borrados vuestros pecados; para que vengan de la presencia del Señor tiempos de consuelo, y él envíe a Jesucristo, que os fue antes anunciado. A éste, ciertamente, es necesario que el cielo reciba hasta los tiempos de la restauración de todas las cosas, de que habló Dios por boca de sus santos profetas que han sido desde tiempo antiguo, pues Moisés dijo a los padres: "El Señor vuestro Dios os levantará profeta de entre vuestros hermanos, como a mí; a él oiréis en todas las cosas que os hable, y toda alma que no oiga a aquel profeta será desarraigada del pueblo." Y todos los profetas desde Samuel en adelante, cuantos han hablado, también han anunciado estos días. Vosotros sois los hijos de los profetas y del pacto que Dios hizo con nuestros padres diciendo a Abraham: "En tu simiente serán benditas todas las familias de la tierra." A vosotros primeramente, Dios, habiendo levantado a su Hijo, lo envió para que os bendijera, a fin de que cada uno se convierta de su maldad. Mientras ellos hablaban al pueblo, vinieron sobre ellos los sacerdotes con el jefe de la guardia del Templo y los saduceos, resentidos de que enseñaran al pueblo y anunciaran en Jesús la resurrección de entre los muertos. Y les echaron mano y los pusieron en la cárcel hasta el día siguiente, porque era ya tarde. Pero muchos de los que habían oído la palabra, creyeron; y el número de los hombres era como cinco mil (Hechos 3.11-26; 4.1-4).

Estos dos relatos bíblicos confirman que para realizar su obra de manera eficiente, la iglesia tiene que encarnarse en el contexto histórico donde le ha tocado servir, de manera que su mensaje sea inteligible para los que lo escuchan. Así como Cristo se mudó a los barrios y comunidades de su tiempo histórico y usó el lenguaje inteligible para su pueblo, la iglesia tiene manejar eficientemente la cultura, idioma e idiosincrasia del contexto donde proclama el evangelio de esperanza. La gente se acerca o se aleja, dependiendo del grado de empatía que descubra en la comunidad de fe. La empatía no es una licencia para aprobar aquello que contradice los valores del reino de Dios, sino una manera de vivir en amor en la comunidad para que los miembros de la comunidad deseen optar por el amor de Dios. Entonces, el Señor se encargará de añadir cada día a la iglesia los que han de ser salvos (Hechos 2.47).

Sin lugar a duda, éste siempre será el desafío que la iglesia enfrentará. La iglesia constantemente tiene que presentar un mensaje amoroso a una audiencia hostil y que, en muchas ocasiones, no quiere escuchar su mensaje. La responsabilidad de la iglesia es reducir al menor grado posible la resistencia a su mensaje, sin trastocarlo o diluirlo. Soy de opinión, que el esfuerzo mayor de la iglesia debe ser eliminar toda la disonancia posible que pueda interrumpir la comunicación efectiva de su mensaje de esperanza. El apóstol Pedro lo dice muy bien cuando dice: "Al contrario, santificad a Dios el Señor en vuestros corazones, y estad siempre preparados para presentar defensa con mansedumbre y reverencia ante todo el que os demande razón de la esperanza que hay en vosotros" (1 Pedro3.15).

La iglesia tiene que echar mano a sus promesas para bailar la danza de amor del Dios trino y alcanzar a un mundo en contradicción que necesita recibir el regalo de esperanza que Dios le ofrece en Cristo por medio del Espíritu Santo. Para hacer esta tarea evangelística la iglesia tiene que apoyarse en su esperanza escatológica y comenzar a ver *en el aquí y ahora,* el inicio de su gran esperanza que culminará en una exquisita plenitud según la describe el Vidente de Apocalipsis:

> Vino entonces a mí uno de los siete ángeles que tenían las siete copas llenas de las siete plagas

> postreras, y habló conmigo, diciendo: Ven acá, yo te mostraré la desposada, la esposa del Cordero. Y me llevó en el Espíritu a un monte grande y alto, y me mostró la gran ciudad santa de Jerusalén, que descendía del cielo, de Dios, teniendo la gloria de Dios.... Y no vi en ella templo; porque el Señor Dios Todopoderoso es el templo de ella, y el Cordero. La ciudad no tiene necesidad de sol ni de luna que brillen en ella; porque la gloria de Dios la ilumina, y el Cordero es su lumbrera. Y las naciones que hubieren sido salvas andarán a la luz de ella; y los reyes de la tierra traerán su gloria y honor a ella. Sus puertas nunca serán cerradas de día, pues allí no habrá noche (Apocalipsis 21.9 b-11; 22-25).

Por lo tanto, nuestro compromiso con este proyecto es ayudar a nuestros pastores pentecostales a que exploren con el poder carismático de la presencia del Espíritu Santo para desarrollar iglesias crecientes y poderosas que llenen sus comunidades de esperanza. Los pentecostales tenemos que echar mano a los recursos de la presencia del Espíritu Santo que hemos confesado desde fines del siglo XIX, sin avergonzarnos de lo que hemos recibido de nuestros padres y madres pentecostales. Tenemos que afirmar nuestra espiritualidad pentecostal con nuestra frente en alto. El tiempo de los milagros no terminó con el cierre del periodo neotestamentario. Tenemos que afirmar nuestra teología y espiritualidad pentecostal y no dejarnos embriagar por la teología de aquellos que creen que el tiempo de los carismas del Espíritu ya cesó. Nada más lejos de la verdad. Con el escritor de la Epístola a los Hebreos afirmo: "Jesucristo es el mismo ayer, hoy y por los siglos" (Hebreos 13.8).

Debo decir, al mismo tiempo, que es cierto que hemos tenido excesos y desaciertos. Creo que es fundamental corregir los excesos y desaciertos, pero no tenemos que rechazar el mensaje de esperanza que a lo largo de estos años ha transformado comunidades, pueblo y naciones enteras. Además, tenemos que mantener la humildad y la mansedumbre y rechazar el sentimiento de sentirnos superiores al resto del pueblo cristiano. Pero, no podemos de dejar de proclamar que Cristo salva, santifica, bautiza, sana y viene otra vez.

La herencia de nuestro evangelio pentecostal nos declara que del Antiguo Testamento recibimos la promesa de redención y restauración de la simiente de la mujer, de una tierra prometida, de un reposo eterno, de la permanencia del trono eterno de David, de la restauración de los profetas, apuntando hacia el Príncipe de Paz, el Padre Eterno, el Dios fuerte, un nuevo corazón, las aguas salutíferas, el nuevo pacto. Del Nuevo Testamento recibimos el mensaje que Dios está con nosotros, que es el Salvador, el Unigénito del Padre, nos habla de un cielo nuevo y una tierra nueva. De la iglesia primitiva recibimos el mensaje Jesucristo es el Señor y no comparte su gloria con el poder del Estado.

De la Iglesia del imperio recibimos la descripción de la Iglesia como *una, santa, católica* (universal) y *apostólica*. De la Reforma protestante se nos dice que en la Iglesia debe estar, (1) La Palabra, (2) los sacramentos y (3) la disciplina: De la Reforma radical se nos recuerda que la Iglesia aclama (1) *una experiencia vivencial* basada en (2) un profundo *encuentro* con el Dios Trino revelado en la Biblia, capaz de (3) *transformar*, (4) *renovar* a los y las creyentes, (5) la creencia en el bautismo de los creyentes, (6) la separación de la Iglesia y el Estado, (7) la eliminación de la gracia *sacramental* (los sacramentos como fuente de la gracia de Dios) y *sacerdotal* (los sacerdotes como fuente de la gracia de Dios), (8) la restauración del amor como fruto de la nueva vida en Cristo, (9) la restauración de la estructura neotestamentaria de organización y (10) la santidad de vida cristiana como resultado de la experiencia de la regeneración mediante la obra del Espíritu Santo[5].

De Juan Wesley recibimos (1) la importancia de los frutos del Espíritu en la vida del creyente y (2) la práctica de la santidad de corazón y vida. Del Movimiento de la Santidad acogimos, (1) la santidad, (2) la perfección y (3) esperanza cristiana, colocando un gran énfasis en vivir una vida de santidad, esperando la venida del Señor. De los primeros pentecostales heredamos (1) un esfuerzo restauracionista con la intención de retomar la vida carismática de los creyentes de la Iglesia neotestamentaria; (2) una decisión de repensar la fe que recibieron de las iglesias de la Reforma Protestante de dónde venían; (3) el énfasis en el sacerdocio universal de los creyentes; (4) la defensa de una vida personal victoriosa y una vida de esperanza a la comunidad de fe y al mundo en su *aquí y ahora, (5)* la separación de le Iglesia y el Estado y (6) la práctica de optar por vivir una experiencia religiosa carismática, ampliamente sostenida por la acción de Dios en el presente, mediada por el Espíritu Santo para la transformación de las vidas de los creyentes.[6]

Del pentecostalismo clásico moderno, se concibió (1) la iglesia como una comunidad redimida y redentora, (2) la iglesia como una comunidad santa, (3) la iglesia como uno una comunidad sanadora, (4) la iglesia como una comunidad carismática y (5) la iglesia como una comunidad escatológica.

Este es el pentecostalismo clásico que yo quiero defender. No quiero rechazar este mensaje transformador, como lo rechazan algunos que salieron del pentecostalismo clásico, aduciendo, para rechazar al evangelio pentecostal clásico, el énfasis en las faldas larga,

---

[5]Wilfredo Estrada Adorno, La iglesia del Señor, ¿Cuál será? Una eclesiología pentecostal (Trujillo Alto, Puerto Rico: Publicaciones Guardarraya,2023), 87-88.

[6]Wilfredo Estrada Adorno, La iglesia del Señor, ¿Cuál será? ...,100.

piernas peludas y pelo largo y la no utilización de maquillaje y prendas en las damas, mientras que a los hombres se dejaban por la libre. Los hombres y mujeres de Dios que nos entregaron el mensaje pentecostal clásico, ciertamente, también nos entregaron esto excesos. Su falta de una educación teológica informada puede, de alguna manera, responder por esto excesos y no quiero intentar justificarlos. Pero, a mi juicio, fueron más las cosas buenas que nos entregaron que los excesos. Rechacemos los excesos y afirmemos su mensaje de esperanza para un mundo sin mañana.

Excesos tuvieron la Iglesia del Imperio y las iglesias de las de Reforma Protestante, de Reforma Radical, las de Juan Wesley, las del Movimiento de la Santidad. Todas tienen que confesar sus faltas. De igual manera, todas aquellas que salieron del pentecostalismo clásico y hoy miran con desdén a sus padres y madres, también tienen serios excesos en sus credos. Por consiguiente, a todos nos conviene hacer un acto de contrición y confesar que necesitamos de la misericordia y longanimidad de nuestro Dios trino.

Con esa idea en mente, en el primer capítulo intento definir los dos tempos (ritmos) fundamentales que describen la vida de la Iglesia, Por un lado, el tempo del *encuentro* con el Dios trino, el del abrazo, de la koinonía y de la adoración. Señalo que en esta experiencia de *encuentro* con Dios, aprendemos a hacer espacio para Dios y para "el otro". Por otro lado, destaco el tempo (ritmo) de la *pasión misionera*, del testimonio y del ofrecimiento de esperanza a los que están fuera de su comunión. Ambas fases son necesarias en la vida de la Iglesia y están interconectadas.

Mi intención, en este primer capítulo, es examinar estos dos ritmos de acción de la Iglesia pentecostal y explorar cómo se combinan en el encuentro de la familia de la fe en el abrazo con el Dios Trino y, luego, con su pasión misionera, en la plaza pública. Es decir, mi finalidad es ver cómo del encuentro con el Dios trino que "de tal manera amó al mundo", la Iglesia se mueve a su pasión misionera para hacer lugar para los otros que están fuera de la familia de Dios.

En el segundo capítulo, Adaliz Goldilla nos confronta con una novedosa forma de entender la ética cristiana a la luz de la justicia que se encuentra en el mensaje de la Biblia. Sostengo que su análisis de la ética, fuera de la caja de la moralidad, y basado en la justicia divina es muy pertinente para el mundo pentecostal. De igual manera, enmarcar la ética cristiana dentro de las prácticas espirituales pentecostales de ayuno, oración, lectura de la Palabra, adoración y meditación es genial.

Me parece que la manera como Adaliz enfoca el contenido de las narrativas bíblicas para atender los males sociales que atacan nuestras iglesias, jóvenes, niños y familias enteras es sumamente interesante. Invito a los lectores y las lectoras de esta obra a que le den una mirada concienzuda a esta propuesta de mirar la ética cristiana desde la justicia bíblica y, además, adornada con las prácticas espirituales pentecostales.

En el tercer capítulo el doctor José A. Santos discute con la audiencia la importancia de la mentoría como ministerio de acompañamiento. José ubica el ministerio de acompañamiento ministerial dentro del proyecto misionero de Dios trazado en el evangelio de Juan: "Porque de tal manera amó Dios al mundo, que ha dado a su Hijo unigénito, para que todo aquel que en él cree, no se pierda, más tenga vida eterna." (Juan 3:16 RVR 1960).

Para José el ministerio de la mentoría es un instrumento de acompañamiento que el mentor utiliza para ministrar de forma personal a su discípulo. Es posible que el vínculo que se crea entre mentor-alumno florezca en una amistad que más adelante resulte en una relación familiar. En su análisis nuestro autor discute las cualidades de un buen mentor y presenta un excelente plan de mentoría. Creo que este es un extraordinario capítulo para aquellos y aquellas que necesitan mentoría y para aquellos y aquellas que quieren desarrollar un ministerio de mentoría.

En el cuarto capítulo el doctor Luis Omar Rodríguez nos dice que predicar la Palabra de Dios es el desafío primordial de la fe en Cristo. Dice, además, los que han predicado por un largo tiempo conectan su vocación con el llamado de Dios y con la influencia directa y certera de algunos antecesores. El autor de este capítulo, definió sus objetivos y señaló que se proponía, en primer lugar, evaluar las nuevas tendencias y desafíos que afectan el contenido y la presentación kerigmática pentecostal contemporánea. En segundo lugar, resaltar los principios que definen el quehacer de la predicación latina pentecostal con sus aciertos y desaciertos. En tercer lugar, el autor nos promete un espacio para la reflexión objetiva sobre la responsabilidad kerigmática del pastor. Les recomiendo que revisen una y otra vez el contenido de este capítulo, Luis Omar es un extraordinario predicador y comparte desde su experiencia pastoral cómo ser efectivo en el ministerio de predicación en una iglesia local.

En el quinto capítulo el profesor José C. Alicea discute con los lectores y lectoras la integración necesaria de los diferentes aspectos que comprenden la experiencia del llamado al ministerio pentecostal. Nuestro autor señala que el llamado, vida y ministerio son parte integral del ejercicio del ministerio cristiano.

Él afirma que la integración debe suscitar un ministerio satisfactorio y gratificante que llene las expectativas de la Iglesia y la comunidad. Una afirmación interesante de nuestro autor es cuando destaca que el llamado de Dios a un ministro le añade valor sacramental a su ministerio. Ese valor sacramental se demuestra en una serie de indicativos, tales como (1) experiencia, (2) servicio y (3) carismatismo, que legitiman el llamamiento de la persona. Este es un capítulo que hay que leerlo con mucho cuidado para entender la teología pentecostal del llamado al ministerio.

En el sexto capítulo, el pastor Adolfo De La Garza hace un análisis muy agudo sobre la misión integral del liderazgo del pastor pentecostal. Señala De La Garza, por un lado, que "Dios da al pastor la responsabilidad de proveer, apacentar, guiar, acompañar a las ovejas hasta el final de sus días en la tierra". Por otro lado, afirma que las iglesias visionarias tienen líderes con una mentalidad del reino de Dios, pastores visionarios y apasionados por el reino de Dios.

Este un capítulo para sentarse por un rato al lado de un pastor experimentado y conversar con él con el corazón en la mano. Les invito a que aproveche esta oportunidad. Adolfo, como un excelente comunicador y cantante, les ofrece la melodía sublime de su sueño pastoral.

En el séptimo capítulo, el pastor y teólogo, José Daniel Montañez, les abre el corazón a sus lectores y lectoras para hablarles de la singularidad y la normalidad de una familia pastoral. De arrancada le dice a su audiencia: "La familia pastoral, en muchos aspectos, es una familia habitual. Sin embargo, por otra parte, enfrenta situaciones y desafíos particulares por la naturaleza de su identidad y función como familia pastoral". Usa la palabra, como experto cirujano facial, y va dibujando el rostro hermoso del familia pastoral, no desde una utopía irreal, sino desde la realidad que vive la familia pastoral en sus diferentes entornos pastorales.

Además, José Daniel le abre la cortina de su casa pastoral a sus lectores y lectoras y comparte los éxitos y luchas de su familia pastoral y les ofrece a los pastores y pastoras sabios consejos para desarrollar familias pastorales saludables, robustas y resistentes a toda lucha. Cuando se siente a leer este capítulo, tome tiempo para examinar su familia a la luz del diálogo que el autor nos provee en su análisis del tema.

En el octavo capítulo el Presidente Fundador de INLIMI/UNILIMI, doctor Víctor Tiburcio aborda el tema de la fatiga pastoral. Señala el pastor Víctor que la vida de servicio a Dios y a su Iglesia es sumamente exigente y compleja. De igual manera, agrega que es un llamado que ofrece las mayores fuentes de gozo para aquellos que lo han experimentado. Sin embargo, su ejercicio requiere de un constante balance entre atender lo sagrado, la iglesia, la familia y a uno mismo.

El pastor Tiburcio nos analiza detenidamente dos grandes áreas donde el ministro experimenta, intensamente, la presión del ministerio: Por un lado, la fatiga física y, por otro lado, el peso emocional resultante de la preocupación por lo que sucede en las iglesias. Prepárese para permitirle al pastor Tiburcio examinar con amor empatía su situación de fatiga ministerial y ofrecerles opciones físicas, emocionales y espirituales para enfrentar los reclamos diarios de sus respectivos ministerios.

Creo que llegó el momento de dejarles tiempo para que inicien la jornada de la lectura de esta obra que con tanta alegría se ha preparado para ustedes. Sus comentarios sobre el contenido de esta obra son muy importantes. Nos pueden escribir a estrada@ unilimi.org. ¡Disfruten su viaje por el maravilloso mundo de la teología pastoral pentecostal!

Wilfredo Estrada Adorno
23 de diciembre de 2023
Un día antes de la fecha en que los cristianos celebran el Día de Nochebuena (la víspera del natalicio de Jesucristo)

Capítulo 1

Los dos tempos (ritmos) de la Iglesia

Wilfredo Estrada Adorno[7]

Introducción

En mi libro: *La Iglesia del Señor, ¿cuál será? Una eclesiología pentecostal* señalo que, "la Iglesia sigue siendo un misterio. Sólo nuestra cercanía al Dios de la revelación puede explicar la naturaleza sobrenatural de un organismo espiritual y humano, al mismo tiempo".[8] Esta comunidad de fe vive en dos tempos (ritmos de acción) subsecuentes. Por un lado, está el tempo (el ritmo de acción) de la reunión para la preparación misión. Por otro lado, está el tempo (el ritmo de acción) para la ejecución de su misión. Desde mi punto de vista, son dos tempos necesarios e indispensables en la naturaleza de ser de la Iglesia.

---

[7] Wilfredo Estrada Adorno es Obispo Ordenado de la Iglesia de Dios Mission Board y presidente del Instituto de Liderazgo y Ministerio y de la Universidad de Liderazgo y Ministerio. Estrada Adorno posee un DMIN de Emory University en 1982 y tres doctorados Honoris Causa . Uno en Teología Social de SEMISUD en Quito, Ecuador, en 2002; otro en Divinas Letras del Seminario Evangélico de Puerto Rico en 2002 y un tercer Doctorado en Divinidad del Asbury Theological Seminary en 2018.

[8] Wilfredo Estrada Adorno, *La Iglesia del Señor, ¿cuál será? Una eclesiología Pentecostal* (Trujillo Alto, PR: Ediciones Guardarraya, 2023).

Los dos tempos (ritmos)

Por un lado, la Iglesia vive el *tempo* de la reunión, del abrazo, de la koinonía, de la adoración y del encuentro con del Dios trino. Por otro lado, vive el tempo de la pasión misional, del testimonio, del ofrecimiento de esperanza a los que están fuera de su comunión. Ambas fases son necesarias y están interconectadas. La pasión misional de la Iglesia depende del encuentro de sus miembros con el Dios trino. Sin un encuentro vivencial con el Dios trino, sin adoración, comunión con Dios, compañía de los fieles y empoderamiento del Espíritu, no es posible comprometernos con el prójimo en la plaza pública. Es, precisamente, "en la comunidad de creyentes donde aprendemos a hacer espacio para Dios y para 'el otro'".[9] Sin la combinación de estos dos movimientos, no es posible tener Iglesia, ni una comunidad con visión misional en favor de los necesitados.

En una ocasión, escuché a un predicador comparar estos dos tempos de la Iglesia con los dos movimientos a los que los jugadores del *football* americano se someten para realizar una jugada en el campo de juego. Por un lado, está, en ocasiones, el tiempo del abrazo (*huddle*) que es el tiempo donde los once jugadores ofensivos preparan su jugada. De hecho, sólo tienen un tiempo limitado para preparar la jugada (24 segundos). Por otro lado, está la ejecución de la jugada en el campo de juego, donde tienen a los once miembros del equipo defensivo, que tiene la asignación de impedir que realicen la jugada. Así que, el juego de *football* transcurre, la mayor parte del tiempo, entre esos dos movimientos y, entre esos dos tempos (ritmos de acción), se dan las anotaciones de cada equipo.

De esta forma, también, en opinión de Terry Cross se inicia la misión de la Iglesia. Dice Cross: "La misión de Dios no comienza con el evangelismo, sino con la reunión de la comunidad de fe en la presencia de Dios para adorar,

---

[9] Terry Cross, *The people of God's Presence: An introduction to Ecclesiology* (Grand Rapids: Baker Academic, 2019), 208.

celebrar, esperar y aprender a cómo abrir espacio para Dios en nuestras vidas, así, como también, para los otros. Sólo cuando hemos sido encontrados y empoderados por la presencia de Dios, podemos alcanzar a otros seres humanos, sin orgullo, paternalismo o condenación".[10]

Nuestra intención en este trabajo será examinar estos dos ritmos de acción de la Iglesia pentecostal y explorar cómo se combinan en el encuentro de la familia de la fe en el abrazo con el Dios Trino y, luego, con su pasión misional en la plaza pública. Es decir, nuestra intención es ver cómo del encuentro con el Dios que "de tal manera amó al mundo", la Iglesia se mueve a su pasión misionera para hacer lugar para los otros que están fuera de la familia de Dios.

El encuentro con el Dios trino

Creo que debemos empezar esta reflexión, examinando la experiencia de encuentro vivencial de la Iglesia con el trino Dios. En trabajos anteriores sobre teología pentecostal (Sueño Celestial: *Himnología, espiritualidad y teología pentecostal, Pronto vendrá el Señor: La iglesia como comunidad de esperanza* y *La Iglesia del Señor, ¿Cuál será? Una eclesiología pentecostal*), he examinado y enfatizado la importancia para el pueblo pentecostal, de su experiencia de encuentro con el Dios trino. En este trabajo quiero regresar a ese tema y revisarlo aún con mayor profundidad. Para, nosotros, los pentecostales la experiencia directa del encuentro con Dios trino, mediada, por Cristo, las Escrituras, el Espíritu y en la comunidad de fieles es una experiencia irrefutable.

Con relación a Cristo, no es posible hablar de una experiencia de salvación sin un encuentro salvífico con Cristo. Algo así, parecido a la experiencia de Zaqueo con Jesús: "Jesús le dijo: Hoy ha venido la salvación a esta casa; por cuanto él también es hijo de Abraham. Porque el Hijo

---

[10] Cross, *The people of God's Presence...*, 208.

del Hombre vino a buscar y a salvar lo que se había perdido" (Lucas19.9-10). O la experiencia de la mujer del flujo de sangre: "Entonces la mujer, temiendo y temblando, sabiendo lo que en ella había sido hecho, vino y se postró delante de él, y le dijo toda la verdad. Y él le dijo: Hija, tu fe te ha hecho salva; ve en paz, y queda sana de tu azote" (Marcos 5.33-34). Sin lugar a duda, estas son experiencias de encuentros directos con el Dios trino mediadas por Cristo y por Espíritu Santo. De igual modo, se puede decir que, estas experiencias de encuentros con el Dios trino están mediadas por las Escrituras que le reafirman a los pentecostales que su experiencia de encuentro con el Dios trino está sustentada por este testimonio de lo que ocurrió en el relato bíblico. Es decir, esto es lo que algunos llamamos *contemporizar* el texto bíblico; pensar que lo que ocurrió en el pasado en el texto bíblico está disponible hoy para el creyente contemporáneo. Terry Cross, citando a James McClendon, habla de *la hermenéutica "esto- es-aquello"* y dice: "lo que nos sucede a nosotros hoy es la misma cosa que sucedió en el primer siglo de la era cristiana. Si Dios confrontó a los humanos directamente durante los días de la vida de Cristo, entonces, Dios por el Espíritu trae hoy al Cristo resucitado directamente a los seres humanos para tener un encuentro directo con ellos".[11]

Además, de este encuentro ser mediado por Cristo, el Espíritu Santo, las Escrituras, también es fundamental que se dé dentro del marco de la comunión de comunidad de fe. Es decir, una experiencia que se da dentro del marco de una comunidad, que ha sido invitada a participar de la danza coreográfica de amor del Dios trino, para preparase para hacer la obra del ministerio. Pablo lo dice de la siguiente manera: "[a] fin de perfeccionar a los santos para la obra del ministerio, para la edificación del cuerpo de Cristo, ..." (Efesios 4.12). En otras palabras, el

---

[11] Cross, *The people of God's Presence...*, 157.

encuentro de ser humano con el Dios trino tiene el testimonio del Espíritu, las Escrituras y la comunidad en *su aquí y ahora*.

El carácter del encuentro transformador del ser humano con el Dios trino

En este trabajo, como les indiqué arriba, quiero dedicarle tiempo a lo que he descrito como los dos *tempos* (los dos ritmos de acción) de la Iglesia. En primer lugar, le destinaré espacio al *tempo* del abrazo en la comunidad de fe, como preludio al *tempo* de *la obra del ministerio*. En estos párrafos quiero examinar la naturaleza (carácter) del encuentro transformador del ser humano con el Dios trino y su contenido. Mi deseo es afirmar la experiencia de aquella generación que me entregó el mensaje poderoso y transformador del evangelio pentecostal. Me refiero a personas como mi papá y mi mamá (Papito y Mamita), los pastores de mi niñez y temprana juventud; Vicente Villegas, Juan e Inocencia Sierra, Marcos Villafañe, Sergio y Sara Torres, Vicente y María Luisa Valcárcel y Alberto y Rosario Camacho. Además, de muchos otros pastores que sirvieron de modelos de mi temprano servicio ministerial: Héctor Camacho, Richard González, Miguel Navas, Águedo Nieves, Mercedes Adorno, Erasmo Ocasio, Cornelio Adorno, Bienvenido López, Evaristo (Coquín) Sánchez, Liborio Colón, Regino Concepción, José Rivera Figueroa, Antonio
Resto Mijol y muchos otros.

Este grupo de pastores, junto con una enorme nube de testigos, miembros de sus respectivas iglesias, afirmaron una experiencia sobrenatural de encuentro con Dios que le dio una autoridad incuestionable para testificar y proclamar la realidad de una vida transformada. Fue desde ese encuentro transformador que esos pentecostales afirmaron la realidad del poder de la presencia de Dios en las reuniones de sus cultos.

Por consiguiente, para mi es importante destacar el valor de la reuniones de los cultos de mis patriarcas y matriarcas (para usar una expresión de mi hijo Wilmer), de la fe pentecostal, que demostraba que algo inexplicable había ocurrido en sus vidas, como resultado de su encuentro con el Dios trino. La mayoría de este grupo de personas no podía explicar ni intelectual, ni conceptualmente lo que había ocurrido en sus vidas. Sólo podían identificar que su manera de vivir la vida era diferente. Es posible que, en última instancia, la profundidad e ininteligibilidad de la experiencia con Dios, no se pueda explicar. Entonces, se podría decir que este encuentro con Dios está más allá de la *reflexión cognitiva* (conocimiento conceptual) y tratar de explicarlo desde esa perspectiva, diría Terry Cross, nos separaría de la experiencia misma.[12] Me parece, que tenemos que prepararnos para sentirnos cómodos sin tener que explicar los milagros y aprender a compartirlos como una experiencia de fe. De igual manera, los que oyen los testimonios sobre esos milagros, deben estar preparados, también, para aceptarlos desde la plataforma de la fe.

La autoridad de los cambios en la conducta de nuestros patriarcas y matriarcas de la fe pentecostal, como resultado de su encuentro con el Dios trino y reconocidos por las comunidades donde estos vivían, le dio validez a la pasión misional y ministerio de gente sencilla y humilde. Por consiguiente, en los próximos párrafos nos dedicaremos a intentar describir el carácter del encuentro con el Dios trino.

Un encuentro para adorar a Dios

La primera característica que quiero destacar en el *tempo* del abrazo, como resultado inmediato del encuentro con Dios de los pentecostales, es su afán por convertirse en

[12] Cross, *The people of God's Presence…*, 170.

verdaderos *adoradores* de Dios. La adoración a Dios es parte fundamental en la fe bíblica, luego de un encuentro con Dios, el salmista dice: Te *alabaré*, oh Jehová Dios mío, con todo mi corazón, Y *glorificaré* tu nombre para siempre (Salmo 86.12; énfasis suplido). Mateo, por su parte dice: Entonces los que estaban en la barca vinieron y le *adoraron*, diciendo: Verdaderamente eres Hijo de Dios (Mateo 14. 33; énfasis suplido). El Vidente de Apocalipsis dice: "Y los veinticuatro ancianos y los cuatro seres vivientes se postraron en tierra y *adoraron* a Dios, que estaba sentado en el trono, y decían: ¡Amén! ¡Aleluya! (Apocalipsis 19.4; énfasis suplido). Es decir, cuando el pueblo de Dios se reúne en la Iglesia su principal objetivo es para adorar a Dios. Cross dice, citando a Don E. Salier, que "cuando reconocemos la gloria de Dios, le atribuimos el honor y las bendiciones apropiadas a la santidad y misterio del ser de Dios".[13]

En primer lugar, adorar a Dios, en la reunión de los fieles, refuerza la experiencia del encuentro primordial (originario, primitivo) con Dios. En otras palabras, es la experiencia que, mencionamos arriba, y que, por medio del Espíritu Santo, Dios confronta al ser humano para ofrecerle una experiencia de transformación e invitarlo a participar de la danza divina. En segundo lugar, adorar a Dios, le ofrece al adorador, la oportunidad de encontrarse con su prójimo y servirle en la profundidad del amor de la danza divina para unir al prójimo a la danza divina para prepararse para salir a la plaza pública a danzar con los que necesitan una experiencia de encuentro con Dios. La historia de Jesús sobre el Buen Samaritano es el mejor ejemplo que puedo compartir. El texto dice así:

> Pero él, queriendo justificarse a sí mismo, dijo a Jesús: ¿Y quién es mi prójimo? Respondiendo Jesús, dijo: Un hombre descendía de Jerusalén a Jericó, y cayó en manos

---

[13] Cross, *The people of God's Presence*…, 137.

> de ladrones, los cuales le despojaron; e hiriéndole, se fueron, dejándole medio muerto. Aconteció que descendió un sacerdote por aquel camino, y viéndole, pasó de largo. Asimismo, un levita, llegando cerca de aquel lugar, y viéndole, pasó de largo. Pero un samaritano, que iba de camino, vino cerca de él, y viéndole, fue movido a misericordia; y acercándose, vendó sus heridas, echándoles aceite y vino; y poniéndole en su cabalgadura, lo llevó al mesón, y cuidó de él. Otro día al partir, sacó dos denarios, y los dio al mesonero, y le dijo: Cuídamele; y todo lo que gastes de más, yo te lo pagaré cuando regrese. ¿Quién, pues, de estos tres te parece que fue el prójimo del que cayó en manos de los ladrones? Él dijo: El que usó de misericordia con él. Entonces Jesús le dijo: Ve, y haz tú lo mismo (Lucas 10.29-37)

La adoración le ofrece al adorador la oportunidad de presentar toda su vida en alabanza al Dios que le ha dado significado a la totalidad de su vida. El adorador no llega al lugar de adoración con una vida compartamentalizada, sino, todo lo contrario, con la totalidad de su vida al lugar de la adoración. Es decir, como dice el evangelista Marcos: "Y amarás al Señor tu Dios con todo tu corazón, y con toda tu alma, y con toda tu mente y con todas tus fuerzas. Este es el principal mandamiento" (Marcos 12.30). En la experiencia de adoración, entonces, entramos a la presencia de Dios, como dice Terry Cross, "para magnificar a nuestro Dios y, como resultado, Dios se manifiesta en nuestras reuniones, haciendo las cosas por el Espíritu que sólo se pueden lograr con su poder y su presencia. De esta manera los creyentes aprenden a hacer espacio para la presencia de Dios en nuestro medio".[14]

---

[14] Terry Cross, *Serving de People of God' Presence* (Grand Rapids: Baker Publishing Group. Kindle Edition, 2020), 93.

Una reunión para celebrar el ser parte de una nueva familia

La segunda característica que deseo destacar de lo que ocurre en el *tempo* del abrazo es el carácter de celebración del encuentro del abrazo. Además de adorar, en el abrazo, en segundo lugar, es una excelente oportunidad para celebrar la gracia y el perdón recibido. Se celebra, también, la inclusión en una nueva relación de familia que contiene la comunión con Dios y el prójimo. Los cánticos, las acciones de gracia, los testimonios, las oraciones de intercesión son parte de la liturgia de celebración.

La vida de la Iglesia debe ser una experiencia de gozo. El testimonio bíblico es decisivo: "...porque día santo es a nuestro Señor; no os entristezcáis, porque el gozo de Jehová es vuestra fuerza" (Nehemías 8.10b). Jehová es mi fortaleza y mi cántico, Y ha sido mi salvación. Este es mi Dios, y lo alabaré; Dios de mi padre, y lo enalteceré (Éxodo 12.2). Me mostrarás la senda de la vida; En tu presencia hay plenitud de gozo; Delicias a tu diestra para siempre (Salmos 16.11).

Sin lugar a duda, el gozo del Señor debe ser la fortaleza de la comunidad de fe que se reúne en la Iglesia para celebrar la presencia del Dios trino en medio de su pueblo. La celebración de ese pueblo anuncia que ha empezado a disfrutar en *el aquí y ahora*, el anticipo de lo que será la fiesta eterna, cuando de inicio el banquete escatológico prometido por Cristo a su Iglesia. Así lo prometió Jesús, cuando instituyó la Última Cena. De este modo, celebramos en el presente en su presencia y de forma anticipada las bendiciones del reino de Dios, pero estamos seguros de que lo que estamos disfrutando en este *aquí y ahora* son las arras del Espíritu de la plenitud de la herencia, reservada para el banquete escatológico. Tres de los evangelistas así lo declaran: Por un lado, Marcos sentencia: "De cierto os digo que no beberé más del fruto de la vid, hasta aquel día en que lo beba nuevo en el reino de Dios" (Marcos 14.25). Por otro lado, Mateo dice: "Y os digo que desde ahora no beberé más de este fruto de la vid, hasta aquel día en que lo beba nuevo con vosotros en el reino de mi Padre" (Mateo 26.29). Finalmente, Lucas dice: "Porque os digo que no la comeré más, hasta que se cumpla en el reino de Dios" (Lucas 22.16). Como dice Terry Cross: "Adoramos en el presente por fe en Dios, sabiendo que un día lo veremos cara a cara y lo adoraremos con una multitud de su pueblo de todas las edades".[15]

Una reunión para capacitarse para la obra misionera

La tercera característica que el abrazo en la Iglesia le ofrece al pueblo es la gran oportunidad para capacitarse y prepararse para la labor misionera. La misión de la Iglesia es la misión del Dios misionero que salió *a buscar y salvar lo que se había perdido*. Esta es la afirmación de los evangelistas Mateo y Lucas. Por un lado, Mateo dice: "Porque el Hijo del Hombre ha venido para salvar lo que se había perdido" (Mateo 18.11). Por otro lado, Lucas afirma: "Porque el Hijo del Hombre vino a buscar y a salvar lo que se había perdido" (Lucas19.10). La responsabilidad misionera de la Iglesia, Jesús se la hace claro a sus discípulos, en su primer encuentro con ellos después de su resurrección. Se encargó de decirles que tenían necesidad de un tiempo de preparación sobrenatural para incorporarse a la tarea de compartir con autoridad espiritual el evangelio de la buena noticia con todas las naciones. Era necesario que fueran *investidos de*

[15] Cross, *The people of God's Presence…*, 204.

poder desde lo alto antes de salir a compartir la *esperanza bienaventurada,* según la describió Tito. "[A]guardando la esperanza bienaventurada y la manifestación gloriosa de nuestro gran Dios y Salvador Jesucristo" (Tito 2.13). El evangelista Lucas lo expresa magistralmente y señala:

> Entonces les abrió el entendimiento, para que comprendiesen las Escrituras; y les dijo: Así está escrito, y así fue necesario que el Cristo padeciese, y resucitase de los muertos al tercer día; y que *se predicase en su nombre el arrepentimiento y el perdón de pecados en todas las naciones, comenzando desde Jerusalén.* Y vosotros sois testigos de estas cosas. He aquí, yo enviaré la promesa de mi Padre sobre vosotros; *pero quedaos vosotros en la ciudad de Jerusalén, hasta que seáis investidos de poder desde lo alto* (Lucas 24.45-49; énfasis suplido).

La estructura para la capacitación de la Iglesia estaba clara. De la misma manera que Jesús había sido ungido para su misión, ["El Espíritu del Señor está sobre mí, por cuanto me ha ungido para dar buenas nuevas a los pobres; me ha enviado a sanar a los quebrantados de corazón; a pregonar libertad a los cautivos, y vista a los ciegos; a poner en libertad a los oprimidos; a predicar el año agradable del Señor", (Lucas 4.18-19)], la Iglesia, también, necesitaba la unción del Espíritu para prepararse para aceptar ser compañera del Dios misionero en la responsabilidad *de buscar y salvar lo que se había perdido.* Afirmo con Terry Cross que "la misión de la Iglesia es una extensión de la misión de Dios; de hecho, nuestra misión es una continuación del ministerio encarnacional de Cristo nuestro Señor quien se convirtió en un siervo entre nosotros, viviendo a nuestro nivel, para poder ministrarnos".[16]

---

[16] Cross, *The people of God's Presence...*, 237.

La formación de una comunidad carismática

Como la Iglesia es una comunidad ungida por el Espíritu es una comunidad llena de dones del Espíritu y, por consiguiente, una comunidad carismática. La comunidad carismática tiene la ventaja de que acepta que está dirigida y capacitada por el Espíritu y por medio la acción del Espíritu es convocada a establecer relaciones de amor y de mutuo fortalecimiento de todos los miembros que forman la familia carismática. Esa comunidad carismática, guiada por el Espíritu, será compañera del Dios trino en su misión de realizar la obra salvadora de Dios por medio del Espíritu Santo que él ha derramado sobre toda carne.

En ese derramamiento del Espíritu sobre la Iglesia se juntan la capacidad de la adoración de la comunidad (la ortodoxia), es decir, la combinación en la liturgia de cómo adoramos, así como creemos (*lex orando lex credendi*). Pero el énfasis de la teología pentecostal, también, tiene un fuerte componente de una realidad vivida (ortopraxis, *lex vivendi*). El orden parece ser que, se adora, luego se cree, se vive, se comparte (ortopatía) y se vuelve a reflexionar sobre lo vivido, compartido y creído en la adoración. Concurro con Amos Yong cuando dice:

> La teología pentecostal debe ser una experiencia arraigada en las experiencias de la comunidad adoradora... ya que la soteriología pentecostal habla de un encuentro con el Espíritu de Dios que ofrece vida espiritual, salud física, *koinonía* comunal, transformación de circunstancias materiales, sociales, políticas e históricas y vida ecológica responsable.[17]

[17] Amos Yong, *The Spirit Poured Out on All Flesh: Pentecostalism and the possibility of a Global Theology* (Grand Rapids, Michigan: Baker Academic, 2005), 79.

Esta comunidad carismática es diversa

Una de las características que distingue la comunidad carismática es su *diversidad.* Esa diversidad en su composición está compuesta por hombres y mujeres; por adultos, jóvenes y niños; por personas de variadas razas, de diferentes estradas sociales, niveles económicos, educacionales y persuasiones políticas. No es una comunidad homogénea en términos sexuales, raciales, sociales, económicos, educativos y políticos.

Tampoco es una comunidad homogénea en términos de los dones carismáticos que posee o ministerios que ejercita. Así que, en medio de la *unidad* de su cuerpo tiene una *diversidad* de miembros, dones y ministerios, pero integrada la *unidad* y la *diversidad* por un mismo y sólo Espíritu: El Espíritu del Dios trino.

Una comunidad apasionada por su fervor misionero

El segundo tempo (ritmo de acción) de la Iglesia es su *pasión misionera.* Luego del abrazo en el santuario, donde la Iglesia adora, celebra y es capacitada por el Espíritu Santo, está lista para su experiencia de testimonio público en la plaza pública. La Iglesia es un pueblo que adora a Dios y le sirve al mundo. Concurro con Terry Cross cuando dice: "Somos un pueblo llamado por Dios para dar testimonio de Cristo, trayendo su presencia con nosotros en el poder del Espíritu a todas las áreas de la vida".[18] Esta experiencia misionera con el Espíritu, que acoge y respeta la *unidad* y la *diversidad,* está legitimada en el libro de los Hechos: "[P]ero recibiréis poder, cuando haya venido sobre vosotros el Espíritu Santo, y me seréis testigos en Jerusalén, en toda Judea, en Samaria, y hasta lo último de

---

[18] Cross, *Serving the People of God's Presence…,* 117.

la tierra" (Hechos 1.8). Esta promesa a la Iglesia se convirtió en una realidad uno días más tarde en el Día de Pentecostés:

> Cuando llegó el día de Pentecostés, estaban todos unánimes juntos. Y de repente vino del cielo un estruendo como de un viento recio que soplaba, el cual llenó toda la casa donde estaban sentados; y se les aparecieron lenguas repartidas, como de fuego, asentándose sobre cada uno de ellos. Y fueron todos llenos del Espíritu Santo, y comenzaron a hablar en otras lenguas, según el Espíritu les daba que hablasen (Hechos 2.1-4).

Sobre la base de la experiencia de ser bautizado con el Espíritu Santo, los pentecostales entendieron que Dios los había capacitado por medio del bautismo con el Espíritu Santo para unirse al Dios trino en la pasión misionera de Dios para salvar al mundo. De ahí en adelante, la pasión misionera por entregar el mensaje de esperanza se convirtió en el entusiasmo cotidiano de los pentecostales. A esta experiencia de proclamación de la salvación conectada a Cristo y al Espíritu Santo, Amos Yong la ha llamado, *soteriología pneumatológica*. ¿Qué es lo que Yong quiere decir con esta frase? Su reflexión, usando lenguaje paulino para explicar la frase, es la siguiente:

> Entender la salvación como una obra de soteriología *pneumatológica* significa que es una obra de Cristo y del Espíritu Santo de principio a fin. El Espíritu Santo hace posible la proclamación, el oír y entendimiento del evangelio, la justificación es posible por medio de la resurrección de Cristo, provee para la adopción del creyente, logra el nuevo nacimiento, la renovación, santifica los corazones y vidas y provee el pronto pago de la transformación escatológica. En todo esto el Espíritu no es un apéndice a Cristo en el

proceso de salvación, sino quien salva con Cristo a lo largo de todo el proceso.[19]

La erudición pentecostal estadounidense más contemporánea (Roger Stronstad, Amos Yong, Steven J. Land, Robert P. Menzies, William Faupel, John Christopher Thomas, Kenneth J. Archer) ha argumentado, junto a la voz de Roger Stronstad, que la teología de Lucas-Hechos tiene su propia integridad teológica al señalar, enfáticamente, que el poder capacitador del ungimiento del Espíritu Santo, tanto a Jesús en su ministerio, como a la Iglesia en el suyo, es prueba fehaciente del ministerio carismático de Jesús y de la Iglesia. Amos Yong dice que el ungimiento de Jesús para su ministerio (Lucas 4.18-19), resultó en lo Yong llama *el Cristo carismático* y el ungimiento de la Iglesia (Hechos 2.1-4) en lo que él llama *la comunidad carismática.* Para Yong ambos ministerios son carismáticos porque dependen de la unción del Espíritu Santo.[20]

La descripción más poderosa sobre sobre el ministerio carismático de Jesús nos la ofrece Lucas en Hechos. Es, a mi juicio, la mejor descripción del ministerio de Jesús. Soy de opinión, que este ministerio ungido es, también, el que Jesús espera de su Iglesia. El Texto bíblico dice lo siguiente: "[C]ómo Dios ungió con el Espíritu Santo y con poder a Jesús de Nazaret, y cómo este anduvo haciendo bienes y sanando a todos los oprimidos por el diablo, porque Dios estaba con él" (Hechos 10.38). Es decir, la vida de Jesucristo, desde su inicio, fue ungida por el Espíritu en su encarnación, en su dedicación, en su bautismo, en su tentación, en su ministerio, en su muerte, en su resurrección, en su ascensión y en su proyecto escatológico. De igual manera, la Iglesia, nace por el Espíritu, es ungida con poder para realizar su ministerio y deshacer la obras del diablo, es enviada a ser misionera en

---

[19] Yong, *The Spirit Poured Out on All Flesh…*, 82.
[20] Yong, *The Spirit Poured Out on All Flesh…*, 82.

el poder del Espíritu y es portadora de un mensaje escatológico de esperanza en el Espíritu para todas las naciones. En palabras de Amos Yong, "el don del Espíritu otorgado a los seguidores de Jesús los empoderó para vencer el pecado, las tentaciones y al mismo diablo... los capacitó para hacer las obras del ministerio en favor de los pobres, los cautivos y los oprimidos; todo lo que Jesús hizo".[21]

Una comunidad invitada a bailar la danza trinitaria del amor

Una de las grandes luchas que tenemos que dar en el entendimiento de nuestra fe pentecostal es la recuperación del sentido comunal de la vida de aceptación del "otro", es decir, del evangelio del perdón. Me parece que es importante apreciar el significado de ser parte de la comunidad trinitaria como resultado del nuevo nacimiento en Cristo. Esta experiencia de integración, que convierte la experiencia de salvación en una de aceptación del "otro", redefine toda la experiencia de salvación. Esa experiencia de vivir en la presencia de Dios nos prepara para una vida transformada que nos ayuda a reflejar la imagen de Dios, mientras servimos a Dios y el prójimo en nuestros contextos ministeriales.

Lo cierto es que la Iglesia para vivir su *pasión misionera*, ha sido invitada por el Dios trino (Padre, Hijo y Espíritu Santo) a participar de su danza divina de amor (*pericoresis*). Es decir, este Dios misionero invita a la Iglesia a unirse a su relación de amor (su pericoresis divina) y en unidad y diversidad constructiva enseñar a la Iglesia a aceptar el "otro" e invitarlo a unirse a la danza de amor del Dios trino. Participar en la danza coreográfica del Dios trino prepara a los creyentes para vivir en koinonía con el prójimo en la comunidad de fe y con el prójimo en el

[21] Yong, *The Spirit Poured Out on All Flesh...*, 89.

mundo como fruto del poder del Espíritu Santo y no como resultado de las acciones humanas. Como diría Terry Cross, "[l]a koinonía de la Trinidad se convierte en la base para la koinonía de los santos reunidos en asamblea".[22]

En esta experiencia de comunión y aceptación del "otro" en Cristo, por medio del poder del Espíritu Santo, todos somo partícipes de la danza coreográfica del Dios trino y partícipes de su vida de gozo, santidad y perdón. Es, precisamente, el amor de Dios en el que participamos, por la acción del Espíritu Santo, lo que nos capacita para amar a los miembros de la comunidad de fe, al igual que aquellos que no participan de nuestra fe. Sin lugar a duda, este amor al "otro" es fruto del amor que Dios nos ha dispensado en Cristo, por virtud de la acción del Espíritu Santo en nuestras vidas.

Podemos decir, entonces, que la comunión de la *pasión misionera* de la Iglesia es formada y sostenida por la presencia del Espíritu Santo en sus reuniones del abrazo del encuentro transformador con el Dios trino. Concurro con Terry Cross, citando a Clark Pinnock:

> Aunque el pueblo de Dios no puede reflejar comunión trinitaria interna perfecta en esta vida, somos llamados por el Espíritu para crear una comunión íntima con los seres humanos en el aquí y ahora. En la ruta hacia la consumación de su propósito, Dios llama a la iglesia a reflejar, tanto como sea posible, en medio de este mundo resquebrajado del presente, el ideal escatológico de esta comunidad de amor que deriva su significado de la esencia divina.[23]

No hay otra manera de hacerlo, es vivir anticipadamente en este presente de pecado la promesa de la plenitud de la redención que se nos anuncia desde el futuro y comenzamos a disfrutar en este mundo que vive

---

[22] Cross, *The people of God's Presence...*, 205.
[23] Cross, *The people of God's Presence...*, 208.

en contradicción con Dios. Es una experiencia de vida que disfruta por adelantado la *esperanza bienaventurada* ofrecida en las Escrituras. Así queda establecido que la Iglesia comienza su *pasión misionera* en la reunión de adoración del pueblo de Dios, para luego compartir el amor de Dios con el pueblo en la plaza pública.

Una Iglesia que regresa de la pasión misionera al abrazo del encuentro con el Dios trino

Los dos tempos (ritmos de acción) de la Iglesia son cíclicos. La Iglesia tiene que regresar del tempo de la *pasión misionera* al *abrazo de encuentro con el Dios trino*. El proceso de regreso al *encuentro con el Dios trino*, le permite a la Iglesia reflexionar sobre sus acciones en la *pasión misionera*. Es importante meditar sobre lo aprendido en la práctica misionera. Hay un aprendizaje que surge de la práctica que va más allá de lo puramente intelectual o conceptual. Esto es lo que Paulo Freire llamó la praxis. Para Freire la reflexión y la acción es una unidad indisoluble. La acción sin reflexión es puro activismo y la reflexión sin acción es puro subjetivismo.[24]

Por esta razón señalo la importancia de regresar al encuentro con el Dios trino en el templo para tener tiempo en el *tempo del abrazo* para reflexionar sobre lo que se hizo en la plaza pública. Queremos que la práctica de compartir el evangelio en la plaza pública sea una buena práctica (ortopraxis). Sino hay una buena reflexión (ortodoxia) sobre lo que ocurrió en la plaza pública, el testimonio puede convertirse en mero activismo religioso. Por el contrario, si nos quedamos en el abrazo reflexionando, la experiencia puede convertirse en mero refugio religioso sin compromiso alguno con el pueblo, que necesita conocer una fe que ofrece esperanza anticipada en *el aquí*

---

[24] Ver y examinar: Paulo Freire, *Pedagogía del oprimido*

y ahora del proyecto de redención de Dios en Cristo, anunciado por el Espíritu Santo. Pero como dice Samuel Solivan:

> El carácter escatológico de la fe del oprimido se mantiene en tensión entre las promesas de Dios ya realizadas y las que aún no se han cumplido. La fe en el Cristo resucitado es esperanza en el Espíritu Santo que hace el *ortopathos* [el sufrimiento con esperanza] una posibilidad.... La presencia de la esperanza está basada en la fe movida por la promesa y vivida en el poder de la confianza y la seguridad en la confiabilidad y misericordia de Dios. Para vencer nuestros pathos [sufrimientos] destructivos, el Espíritu Santo nos ha dado, como creador de la fe que engendra fe, una fe que se atreve a esperar (lo que se ha llamado una paciencia revolucionaria) con la confianza en el cumplimiento del reino de Dios entre nosotros.[25]

Por consiguiente, la Iglesia tiene que regresar constantemente al encuentro con Dios en el *abrazo trinitario* para asegurarse que su *pasión misional* se realiza en la praxis correcta en la plaza pública. De esta forma, la Iglesia ofrece esperanza en la promesa de Jesucristo de una vida mejor en medio del sufrimiento destructivo del presente, como resultado de la acción del Espíritu Santo. Este mensaje de un nuevo día, se anuncia por anticipado, desde la esperanza que ofrece el futuro banquete escatológico, ofrecido por Jesucristo a la Iglesia en su *aquí y ahora*.

---

[25] Samuel Solivan, *The Spirit, Pathos and Liberation: Toward a Hispanic Pentecostal Theology*, (Sheffield, England: Sheffield Academic Press, 1998), 91-92.

Conclusión

Sin lugar a duda, la Iglesia es una comunidad convocada por el Dios trino para acompañarlo en la misión de salvar al mundo. Dios el Padre escogió, en Jesucristo y por medio del Espíritu Santo, a seres humanos imperfectos para formar una comunidad de perdonados y redimidos para ser parte del proyecto de salvación de la humanidad.

Primero, los convoca como una comunidad en necesidad de redención, segundo, como una comunidad de perdonados los hace un pueblo santo, tercero, como resultado de su salvación y santificación la sana como comunidad y la convierte en una comunidad sanadora para sanar a los enfermos y agobiados, cuarto, la llena de los dones del Espíritu y la convierte en una comunidad carismática y, quinto, con una vivencia clara que en *el aquí y ahora* comienza a experimentar las arras del reino de Dios que ya había iniciado, pero que su plenitud llegaría en el banquete escatológico prometido por Jesús a la Iglesia.

Una vez vive la experiencia del *encuentro* con Dios en *adoración, celebración* y *capacitación* en el Espíritu Santo, está lista para salir a la plaza pública a compartir la esperanza del evangelio. Pero, la Iglesia siempre tuvo claro que no podía quedarse todo el tiempo en la experiencia del encuentro. Del *encuentro* con el Dios trino tenía que pasar a la *pasión misionera* en la plaza pública. Pero, tampoco se podía quedar sólo en la plaza pública. Tenía que regresar a la experiencia del encuentro con el Dios trino y analizar su trabajo en la plaza pública. Las dos experiencias formaban parte de una relación cíclica que tenía que repetirse continuamente. Hoy, al igual que ayer, esa relación cíclica entre el *encuentro* con el Dios trino y la *pasión misionera* de la Iglesia en la plaza pública sigue siendo una realidad ineludible.

Preguntas para reflexionar

1. Defina qué entendió por la palabra *tempo.*
2. ¿Qué es el *tempo* del encuentro con Dios?
3. ¿Cuál es su recuerdo más vívido de una experiencia de encuentro con Dios?
4. ¿Qué es el *tempo* de la pasión evangelística?
5. ¿Explique lo que entendió por el concepto de participar en la danza divina del Dios trino?
6. A su entender, ¿cuál es la función del Espíritu Santo en el *tempo* del *encuentro* con Dios y la *pasión misionera* de la Iglesia?

Bibliografía

Cross Terry. *The people of God's Presence.* Grand Rapids: Baker Academic, 2019.

__. Serving the People of God's Presence: An introduction to Ecclesiology. Grand Rapids: Grand Rapids: Baker Academic, 2020.

Estrada Adorno, Wilfredo. *La Iglesia del Señor, ¿cuál será? Una eclesiología Pentecostal.* Trujillo Alto, PR: Ediciones Guardarraya, 2023.

Solivan Samuel, The Spirit, Pathos and Liberation: Toward a Hispanic Theology. Sheffield: Sheffield Academic Press, 1998.

Yong, Amos. *The Spirit Poured Out on All Flesh: Pentecostalism and the possibility of a Global Theology.* Grand Rapids, Michigan: Baker Academic, 2005.

Capítulo 2

Los reclamos de la ética pastoral pentecostal contemporánea

Adaliz Goldilla[26]

Introducción

En este capítulo hablaremos de los reclamos de la ética pastoral contemporánea y es necesario comenzar con una importante aclaración acerca de la intención con la que comparto el contenido de este escrito. Como ministros del Evangelio de Cristo enfrentamos situaciones donde nos vemos obligados a reflexionar, analizar y poner en práctica el consejo bíblico. Esta reflexión trata de explicar cómo podemos confrontar algunos asuntos éticos basados en la justicia que nos enseña Dios en su Palabra.

Sin embargo, aunque comparto parte de mi experiencia y los hallazgos de mi investigación, haciendo una conexión entre ética y justicia, nada de lo que

---

[26]Adaliz Goldilla es la Decana de Registraduría y matrícula del Instituto de Liderazgo y Ministerio (INLIMI) y de la Universidad de Liderazgo y Ministerio (UNILIMI). Es, además, estudiante de Maestría del Seminario Gordon-Conwell y miembro de la Iglesia Aliento de Vida en Corona, Queens, New York.

encuentras aquí sustituye la realidad de que Dios es soberano y su voluntad siempre prevalecerá. Estoy convencida que nuestra praxis ministerial debe estar acompañada de oración, ayuno, estudio de la Palabra y la adoración, rogando al Dios Trino que tome el control y nos dirija en todo momento. Así que cada vez que leas un análisis de un caso bíblico o una experiencia y crees que esto te puede ayudar en tu ministerio, recuerda ponerlo todo siempre en las manos de Dios. Que, aunque nos critiquen y digan que nosotros los pentecostales todo lo resolvemos en oración, que eso no nos detenga y que tampoco dejemos de exhortar a otros a que sigan orando. La realidad es que si tomamos la oración en serio, tenemos un gran comienzo. Es decir, la oración se convierte en una extraordinaria herramienta para conectarnos con el Padre y recibir paz cuando tomamos decisiones.

Es importante señalar que las maneras como el mundo secular intenta resolver sus situaciones conflictivas individuales, familiares y sociales, basadas en lo que se entiende por ética, puede estar muy alejado de nuestras bases bíblicas. Nuestra ética no es la del mundo, ni la que aprendemos en la escuela secular. Es la que aprendemos de las narrativas bíblicas y la que vivimos como comunidad eclesiástica, cuando nos unimos a confrontar los males sociales que atacan nuestras iglesias, jóvenes, niños y familias enteras. Te invito a que leas este capítulo con deseos de hacer la diferencia y pararnos en la brecha por aquellos que necesitan que la Iglesia les haga justicia. Pero, abre tu corazón, porque aunque todos, de una manera u otra, somos víctimas de la injusticia, el enfoque de nuestro estudio va dirigido a los que mayormente juzgamos y señalamos, porque practican y viven lo que los cristianos reconocemos como antibíblico.

Los reclamos de la ética pastoral pentecostal contemporánea

¿Cuáles son los reclamos de la conducta ética y decisiones del ministro pentecostal? Los ministros pentecostales debemos tener en perspectiva la necesidad de tener una base bíblica para sustentar nuestras decisiones en la práctica ministerial. Utilicemos el ejemplo del aborto para poner en contexto lo que quiero decir con esta primera declaración. Si me paro frente a una congregación pentecostal y pregunto ¿cómo sustentamos bíblicamente que Dios está en contra del aborto? Algunos me van a poder decir varios versículos de memoria, aunque La Biblia no diga literalmente, no abortarás al hijo que llevas en tu vientre.

Probablemente pensemos en Jeremías 1.5; Antes que te formase en el vientre te conocí, y antes que nacieses te santifiqué, te di por profeta a las naciones. ¿Qué tal el Salmo 139.13? "Tú me formaste en el vientre de mi madre". El verso 16 del mismo salmo dice: "Mi embrión vieron tus ojos"... Podemos decir que la interpretación de estos pasajes, en cuanto al tema del aborto, es reconocer cuando comienza la vida, el valor de un ser humano desde que está en el vientre de su madre y que es producto de la Creación Divina. Tal vez, pasajes como estos, son suficientes para nosotros los creyentes, pero no sabemos si es suficiente para todas las mujeres que le predicamos a Cristo.

Pensemos como comunidad. La mayoría de los abortos, se hacen en privado, las mujeres no publican en sus mensajes de redes sociales una afirmación que diga: "Hoy me hice un aborto". Debemos preguntarnos cuál es la intención detrás de muchos abortos. El periódico El País de España hizo un estudio acerca de este tema y refleja que el 62% de las mujeres se practican un aborto por razones que poco tienen que ver con sus condiciones económicas, personales o afectivas. De hecho, casi la mitad de las mujeres que interrumpe la gestación, lo haría en cualquier circunstancia: aunque devengara un salario cómodo, tuviera un mejor trabajo o una pareja estable.[27] El artículo termina diciendo que, la mujer puede decidir abortar de manera libre y sin justificarlo durante las primeras 14 semanas de gestación.

Cuando analizo esto desde mi contexto como mujer, latina, y pentecostal que vive en la diáspora, me cuestiono, porque la mayoría lo hace en privado y si la razón de no publicarlo es por vergüenza o tratando de esconder su pecado. No estoy insinuando que estar embarazada es un pecado, me refiero al acto sexual y en especial el hombre involucrado. En fin, este ejemplo del aborto, es para poner en contexto el contenido que presentaremos a continuación. Pues no estamos hablando de la ética que nos mueve a ayudar a los pobres, las viudas, los huérfanos o los extranjeros. Estamos hablando de la ética que nos confronta cuando llega a la comunidad de fe un padre o una madre con problemas familiares, de crianza de los hijos, abortos, uso de sustancias controladas, desordenes sexuales, entre muchos otros.

La realidad es que la misma ética que empleamos para ayudar a los pobres, viudas, huérfanos y extranjeros, es la que nos debe mover a ayudar al prójimo[28] en general, porque todos tienen derecho a ser atendidos por la Iglesia. Dice René Padilla que hablar de los derechos humanos es

---

[27]https://elpais.com/sociedad/2012/06/15/actualidad/1339791818_184271.html?event=go&event_log=go&prod=REGCRART&o=cerrado . Consultado 12 de noviembre de 2023.

[28] La definición de prójimo, según el diccionario Clie Enciclopédico Bíblico Ilustrado en su origen, designa a aquel que está próximo, cercano. A partir de lo cual su significado fue ampliado y extendido para designar también a toda persona humana desde el hermano y el compañero hasta el extranjero. Esta evolución semántica se explica a raíz de los cada vez más frecuentes contactos de los pueblos entre sí y de conceptos cada vez más morales y reflexivos sobre la unidad de la raza humana.

hablar de derechos que pertenecen a todos los seres humanos, sin excepción, en virtud de haber sido creados a imagen y semejanza de Dios.[29]

¿Cuáles son las preguntas que nos hacemos cuando llegan estas situaciones antes mencionadas? ¿Hasta qué punto un padre creyente tiene autoridad sobre sus hijos? ¿Qué me dice la Biblia de la crianza? ¿Qué debo permitirles y que no debo permitirles? ¿Cuál es mi posición como pastor, líder, padre cristiano, cuando nuestros hijos revelan sus inclinaciones sexuales? ¿Qué hacemos cuando dejan de ir a la iglesia y deciden tener relaciones sexuales libres, más aún, si todavía viven en casa? ¿Qué hacer cuando los padres encuentran cigarrillos o drogas en sus cuartos?

Muchos correrán a donde sus pastores a buscar una respuesta bíblica. ¿Qué dice la Biblia de todo esto? Y si no dice nada, ¿cómo podemos extraer el consejo bíblico como base para lidiar con lo que enfrentamos en nuestras congregaciones y hasta en nuestros propios hogares? Sabemos que aunque los líderes, ministros y pastores son los que dan la cara en estas situaciones y acompañan a las familias, sus casas no están exentas de pasar por las mismas situaciones.

¿Cuál debe ser nuestra base para resolver estos asuntos? No debemos dudar que en la Biblia encontramos la dirección que necesitamos. Más que buscar versos bíblicos exactos, debemos aprender a reaccionar a estas situaciones siguiendo los ejemplos de los cientos de relatos que nos narra la Biblia. En la siguiente sección hablaré de cómo extraer las enseñanzas de un relato bíblico utilizando la historia del juicio que empleó el Rey Salomón, cuando dos mujeres rameras vinieron delante de

---

[29] René Padilla, López R., Darío y Lagos, Humberto. Los derechos humanos y el Reino de Dios (Lima, Perú: Ediciones PUMA, 2010), 10.

él con una situación complicada. Te invito a descubrir cómo emplear la ética que hace justicia.

Salomón: Juicio entre dos mujeres

> Así hablaban delante del rey. El rey entonces dijo: Esta dice: Mi hijo es el que vive, y tu hijo es el muerto; y la otra dice: No, mas el tuyo es el muerto, y mi hijo es el que vive. Y dijo el rey: Traedme una espada. Y trajeron al rey una espada. En seguida el rey dijo: Partid por medio al niño vivo, y dad la mitad a la una, y la otra mitad a la otra. Entonces la mujer de quien era el hijo vivo, habló al rey (porque sus entrañas se le conmovieron por su hijo), y dijo: ¡Ah, señor mío! dad a ésta el niño vivo, y no lo matéis. Mas la otra dijo: Ni a mí ni a ti; partidlo. Entonces el rey respondió y dijo: Dad a aquella el hijo vivo, y no lo matéis; ella es su madre. Y todo Israel oyó aquel juicio que había dado el rey; y temieron al rey, porque vieron que había en él sabiduría de Dios para juzgar.[30]

¿Qué haces cuando dos miembros de una congregación vienen a presentar una situación, donde es obvio que una de las partes está mintiendo? Aquí podemos decir rápidamente, que tenemos que actuar con sabiduría, y pedirla a Dios, para que nos ayude a actuar con sabiduría para ofrecer una respuesta adecuada al problema presentado. Pero seamos sinceros, ¿no es esta una oración común entre creyentes? Yo creo que sí. Y ¿quiénes de nosotros, aunque oramos constantemente por sabiduría, no encontramos una solución tan rápida como la encontró Salomón? Entonces, ¿qué aprendemos de esta narrativa además de actuar con sabiduría?

Veamos algunos detalles, el primero es analizar nuestro enfoque cuando viene este tipo de situación. Si nos

---

[30] 1 Reyes 3.22-28 RV1960.

enfocamos en buscar una explicación lógica para entender el altercado de las dos madres, probablemente esa no es la clave para resolver el problema. Sin embargo, podemos enfocarnos en hacer justicia, algo que nos enseña la Biblia a lo largo y ancho de sus libros.

Pensemos en los protagonistas del problema: Las dos mujeres y el niño vivo. ¿A quién le vamos a hacer justicia, a las mujeres que no sabemos quién de las dos dice la verdad, o al niño? No se trata de decidir a quién hacer el bien o a quien hacer el mal, lo que se trata es de analizar quien es la persona perjudicada. En este caso es el niño, quien se encontraba entre dos amenazas, la espada del rey y una mujer sin misericordia que no es su verdadera madre. Cuando nos enfocamos en hacer justicia, hacemos el juicio correcto. Salomón se dio cuenta que la clave estaba en el hijo, él le hizo justicia al niño, provocando que surgieran los sentimientos de la verdadera madre.

¿Qué aprendemos de esto? Cuando un matrimonio venga con un problema familiar, donde la crianza de los hijos está en peligro, el enfoque podría ser hacerles justicia a los hijos. Con este enfoque podríamos lograr que los padres puedan reconocer, que si siguen actuando de esa manera, los mayores perjudicados serían los hijos. Hacer conciencia de esto es fundamental. La madre de la historia ya relatada, cuando vio que su hijo se perjudicaría, actuó en justicia por amor a él. Aquella mujer, estuvo dispuesta a ceder por el bienestar de su hijo. La solución a muchos problemas familiares se resuelve cuando alguien está dispuesto a ceder para hacer justicia. Cuando viene un matrimonio con problemas, podemos ayudarle a que entiendan que, lo importante no es demostrar quién tiene la razón, ni quién fue el primero, ni quién lo hace mejor, sino que estén dispuestos a ceder para arreglar la situación. Aquella mujer cedió lo más valioso para ella: su hijo, por el que llegó delante del rey. Ella fue al palacio para que se lo devolvieran y voluntariamente lo entregó, aunque era quién decía la verdad. Cuando cedemos, no estamos perdiendo, por lo regular, estamos ganando, un ambiente de paz, una familia saludable, hijos sanos, un matrimonio estable. ¿Qué están dispuestos a ceder los padres y las madres que llegan con sus problemas familiares a donde los pastores? Pregunta a esos padres por dos cosas que estén dispuestos a ceder, ayúdalos a decidir si es necesario como hizo Salomón.

Justicia

¿Qué dice la Biblia acerca de la justicia? Como ahora tenemos el privilegio de tener Biblias electrónicas, hice una búsqueda de la palabra justicia en la versión Reina Valera y el resultado fue de 377 los versos bíblicos que contienen la palabra justicia. Sabemos que debe ser más, ya que puede hablar de justicia y no decir la palabra literalmente. Así que estamos claros que uno de los temas que más habla la Biblia es la justicia, pero para efectos de este análisis, veamos que dice 2 Samuel 8.15 RV: "Y reinó David sobre todo Israel; y David administraba justicia y equidad a todo su pueblo". Alfonso Ropero dice que la misión propia del rey es hacer valer el derecho y la justicia, es decir, una ordenada vida comunitaria.[31]

La justicia y equidad que empleaba David en su reinado era lo que permitía el orden comunitario y esto es importante para la vida eclesiástica. Pero antes de seguir con David, no quiero pasar por alto que el ejemplo más grande que tenemos en la Biblia de justicia es el mismo Cristo. Que por hacernos justos, él cargó toda la injusticia de la humanidad en sus hombros. Esa es una justicia incomparable; él cedió su propio bienestar, para hacernos justicia. Entiendo que se nos hace complicado mirar y comprender la divinidad y humanidad de Jesús. Cuando decide no usar sus atributos divinos, lo hace por amor a

---

[31] Alfonso Ropero, Diccionario enciclopédico bíblico ilustrado (España: Editorial CLIE, 2020), 872.

nosotros. No podemos pensar en su dolor y sufrimiento como algo leve, porque él es completamente hombre y completamente Dios. En palabras ordinarias, Jesús no hizo fraude. Es decir, no usó su poder divino para que le doliera menos, ni para aliviar su carga. Una vez escuché a uno de mis profesores de Biblia, el Profesor José Alicea[32], decir, si María no le daba el pecho a Jesús, éste se moría. Dando entender que la humanidad de Jesús era como la nuestra, si no comes, te mueres. Aquella declaración abrió mis ojos a una hermosa verdad y hoy veo la entrega y el despojo a sí mismo[33] como una inefable experiencia de su compromiso en favor del ser humano. ¡A Dios sea la gloria!

Volviendo al tema de cómo empleamos justicia, uno de los problemas que tenemos que enfrentar es que, muchas veces, en lugar de hacer justicia, pasamos juicio. En el ejemplo bíblico, en lugar de enfocarnos en el hijo, juzgamos a las madres. Si estuviéramos en el lugar del rey, tal vez, nos enfocaríamos erróneamente en aquellas mujeres, pensando que son rameras y que ninguna de las dos merece quedarse con el niño. Puede ser cierto, que ninguna de las dos lo merecía, pero, nosotros tampoco merecemos la salvación y la obtuvimos sin pagar precio alguno, pues ese es el fruto de la justicia y la ética que nos enseña la Biblia.

De regreso a la justicia y la equidad con la que David reinó y que provocó una vida ordenada, podríamos afrontar las situaciones en nuestras congregaciones de forma mucho más prudente, si tomamos la manera de actuar de David como ejemplo. Él hizo lo que era justo y correcto para su pueblo antes de comenzar a reinar. Ante la amenaza del Rey Saúl, que atentaba contra su vida injustamente, David no reclama su libertad y su

---

[32] Decano académico y profesor de la Universidad de Liderazgo y Ministerio (UNILIMI)

[33] Filipenses 2.7

seguridad, porque le hacía justicia al ungido de Jehová, a pesar de que Dios ya se había apartado de él. Sin embargo, Saúl mismo reconocía la justicia de David que era inexplicable; en una ocasión le dijo: "Más justo eres tú que yo, que me has pagado con bien, habiéndote yo pagado con mal".[34]

¿Qué más aprendemos con esto? Que el líder que actúa justamente, las probabilidades que sus seguidores actúen con justicia son muy altas. David tenía muchos seguidores que actuaban justa y fielmente, gracias a su liderazgo. Más adelante veremos el caso de Urías, y la fidelidad tan grande con la que obraba de manera ética, pues su rey era un gran ejemplo de justicia y equidad y él obraba de la misma manera. Con el caso de Urías también vemos las consecuencias, cuando olvidamos esa justicia con la que debemos liderear. Espera un poco porque ese tema lo discutiremos al final de este capítulo y te será de gran edificación.

¿Qué más podemos decir de la justicia? Para el apóstol Pablo la justicia denota el don de gracia de Dios a los hombres por el cual todos los que creen en el Señor Jesucristo son introducidos a la correcta relación con Dios. "Al que no conoció pecado, por nosotros lo hizo pecado, para que nosotros fuésemos hechos justicia de Dios en él".[35] Esta justicia es inalcanzable por obediencia a alguna ley o por cualquier mérito propio del hombre, o por cualquier otra condición que no sea la de la fe en Cristo. "Al que no conoció pecado, por nosotros lo hizo pecado, para que nosotros fuésemos hechos justicia de Dios en él. En la Nueva Traducción Viviente dice: "Pues Dios hizo que Cristo, quien nunca pecó, fuera la ofrenda por nuestro pecado, para que nosotros pudiéramos estar en una relación correcta con Dios por medio de Cristo. Muchas veces queremos resolver estas situaciones de familia, pero

---

[34] 1 Samuel 24.17 RV1960
[35] 2 Cor. 5.21 RV1960

se debe analizar cómo está la relación de esos padres de familia con Dios. No se trata de juzgarlos, se trata de asegurarnos que esta familia comprenda la importancia de reconocer la gracia de Dios en sus vidas, esa gracia nos permite vivir una vida correcta a través de Cristo" (2 Cor.521 NTV).

Cuando tenemos una relación correcta con Dios a través de Cristo y llegan las situaciones a los hogares cristianos, vamos a manejar con mayor cuidado estos reclamos éticos. Por ejemplo, que le vamos a decir a una adolescente que nos diga, yo me quiero ir de mi casa por mis inclinaciones sexuales y como mis padres son cristianos sé que no lo van a tolerar. Cuando se trabaje con los padres, ¿cuál es el consejo? ¿Les vamos a decir, déjala que se vaya, no puede vivir en tu casa así? Qué tal, si permites que tu hija vea lo que es vivir justamente, en una relación correcta con Dios por medio de Cristo. Reflexionemos acerca del consejo bíblico cuando llegan estas noticias sorpresivas.

Salmos 4. 4-8

> No pequen al dejar que el enojo los controle; reflexionen durante la noche y quédense en silencio. Ofrezcan sacrificios con un espíritu correcto y confíen en el SEÑOR. Muchos dicen: «¿Quién nos mostrará tiempos mejores?». Haz que tu rostro nos sonría, oh SEÑOR. Me has dado más alegría que los que tienen cosechas abundantes de grano y de vino nuevo. En paz me acostaré y dormiré, porque solo tú, oh SEÑOR, me mantendrás a salvo.[36]

Este Salmo lo conocemos muy bien en la versión Reina Valera, Temblad, y no pequéis; Meditad en vuestro corazón estando en vuestra cama, y callad.... ¿Qué

---

[36] Salmos 4.4-8 NTV

logramos con gritar, pelear o castigar a nuestra hija si viene con una situación similar? Meditad en vuestro corazón estando en vuestra cama, y callad. Recordemos que el que confía en Cristo viene a ser justicia de Dios en él, en estos momentos debemos actuar justamente.

¿Cómo meditamos esto en nuestro corazón? Una niña que tiene inclinaciones sexuales que la Biblia censura, ¿quién es el responsable?, ¿es la niña?, ¿es la sociedad?, ¿son los padres?, ¿es el enemigo de las almas? Meditemos y analicemos la situación. Si eres líder, esa tal vez no es tu niña, pero es la niña de los ojos de otra familia. Actúa con justicia, ámala, escúchala, trata de analizar con la gracia de Dios, ora y clama por ella, como si fuera tu propia hija. Nuestra relación correcta con Dios, a través de Cristo es la que provoca que podamos relacionarnos correctamente y en justicia con los demás. ¿Queremos que nuestras hijas salgan por la puerta de atrás de la casa? No, queremos tener relaciones estrechas y profundas con ellas, actuar en justicia y ver la mano de Dios obrar. Entrega algo por el bienestar de ellos, recuerda a la mujer del relato bíblico, cedió su propio hijo. Por ejemplo, cede el tiempo de trabajo, aunque pierdas dinero, pide unos días libres y comparte con los hijos y las hijas que Dios te dio y que ahora enfrentan una situación. Cede tu rutina, haz un cambio en tus actividades. Ese juego de fútbol tan importante o esa salida al mall cámbiala por un paseo a los lugares que tu hija desea y aprovecha el tiempo para hablar con honestidad y con un corazón dispuesto a escuchar y a entender. Cede tu orgullo, los padres y madres cristianos, en especial los ministros no desean compartir las cosas por las que pasan sus hijos e hijas, en ocasiones la ayuda de otras personas sabias es indispensable.

El texto bíblico habla de ceder o de entregar de la siguiente manera; Ofrezcan sacrificios con un espíritu correcto, y la Reina Valera dice; Ofreced sacrificios de justicia y confía en Jehová. Ministro, líder, párate sobre la brecha por las hijas de tu iglesia, pelea por ellas, hazle justicia. ¿Pero cómo le hago justicia? Ayúdala, acompáñala, invierte tiempo en tu gente, no dejemos a nuestros jóvenes solos. ¿Tenemos que supervisar ese acompañamiento? Si, hay que supervisarlo, no se trata de ignorar una conducta que la Biblia condena, se trata de que no se sientan excluidos por la iglesia, porque lo que van a sentir es que Dios no los ama y eso sería fatal. El que confía en Cristo viene a ser justicia de Dios en él. Deja que la gente vea que nuestro proceder está alineado con la justicia que viene de lo Alto.

¿Es posible que disminuyan los incidentes que como pastores, líderes, ministros y padres cristianos enfrentamos en estos días empleando justicia?

Para contestar esta pregunta, hablemos un poco de justicia social, ya que podríamos estar tocando el punto clave para lograr que se disminuyan estos incidentes que ya hemos mencionado. El teólogo Darío López habla de los cultos pentecostales y en su explicación dice algo impactante acerca de los necesitados, analicemos lo que dice:

> Los cultos pentecostales son fiestas, celebraciones colectivas en las cuales todos los participantes son sujetos activos, actores centrales, y en las que todos los creyentes reciben la gracia de Dios y comparten esa gracia con naturalidad y alegría.[37] .... A los pobres y a los excluidos les pueden robar todas las posesiones materiales y condenarlos al ostracismo social y al estercolero de la historia; pero su canto alegre y festivo, no puede ser ni arrebatado ni secuestrado por los poderosos de este mundo, porque el poder liberador del evangelio y su efecto transformador, no está limitado por las

[37] Darío López, La fiesta del Espíritu: Espiritualidad y celebración pentecostal (Lima, Perú: Ediciones PUMA, 2014), 32.

> condiciones materiales adversas en la que se encuentran los creyentes. El canto de los pobres y de los excluidos no tiene fronteras ni depende de las circunstancias, puesto que se trata de un canto de liberación que no está atado a ningún factor humano que limita o que castra su poder transformador.[38]

Si nosotros luchamos por los derechos y justicia de los necesitados, la realidad es que si ellos deciden aceptar a Cristo, mientras nosotros los tratamos justamente, experimentarán en gran manera lo que es vivir gozosos y libres como dice el autor en esta sección, pues además de experimentar el Espíritu Santo que es lo más grande, experimentarán una congregación dirigida por el Espíritu Santo. No importa lo que el mundo les robe, nadie les robará el gozo de la salvación. Aunque el mundo los trata con injusticia, vivirán la justicia que nos enseña La Biblia a través de la familia de la fe.

En estos momentos tal vez te preguntes la relación entre los pobres y las situaciones difíciles que nos llegan a nuestras iglesias. Tiene que ver mucho, porque si los niños, jóvenes y hasta los no convertidos nos ven actuar con justicia, ven un proceder diferente en nosotros, ¿qué van a querer? Van a querer lo que nosotros tenemos, y actuar como nosotros actuamos. Dice Oseas 4.9[39] Y será el pueblo como el sacerdote. Si los líderes además de demostrar las disciplinas espirituales, demuestran actos de justicia social, la iglesia y sus seguidores se envuelven en actos de justicia.

Sus vidas y sus manos se llenan de trabajo y su corazón se llena de hacer el bien y ¿cuál es el resultado? Nuestros jóvenes lo que desean y comienzan a imitar es a hacer justicia. Los niños quieren ser los primeros en darle

---

[38] López La fiesta del Espíritu…, 34.

[39] Este verso de Oseas, lo comencé a ver de manera diferente cuando leí el contenido del capítulo seis que escribió el Pastor De La Garza en la obra de este presente volumen.

comida a los deambulantes, los jóvenes quieren hacer viajes misioneros, los impíos se convierten cuando ven a la iglesia rodeada de la justicia social; no hay tiempo ni deseos de seguir las corrientes del mundo, pues lo que hacen los llena de satisfacción.

Recientemente salió la película "Sound of freedom" dirigida por Alejandro Monteverde. Es la historia de un ex agente del gobierno de Estados Unidos, que renunció a su trabajo para dedicar su vida a rescatar niños de los traficantes sexuales globales. Luego del éxito de este filme, es impresionante cuantas entidades se han unido a esta causa. ¿Y que lo provocó? Dentro del corazón de la gente, aunque no sean creyentes, hay un espíritu de hacer justicia. ¿Cuánto más, los miembros de nuestras congregaciones no querrán hacer lo que sus pastores hacen, y sobre todo si se trata de hacerle bien a los necesitados?

Así que para contestar la pregunta inicial de esta sesión, ¿Es posible que disminuyan los incidentes que como ministros y padres cristianos enfrentamos en estos días empleando justicia? Yo creo que sí es posible. La Biblia dice en Hechos 20.35 En todo os he enseñado que, trabajando así, se debe ayudar a los necesitados, y recordar las palabras del Señor Jesús, que dijo: Más bienaventurado es dar que recibir. Nosotros sabemos esto hasta la saciedad, que "hay más bendición en dar que en recibir" y eso lo experimentamos cuando hacemos justicia.

Actúa con justicia

La espiritualidad pentecostal no puede desligarse de un firme compromiso con la defensa de la dignidad humana, ya que amar la vida y defenderla constituye una forma de vivir en el Espíritu.[40] No está en tensión ser espiritual y actuar con justicia. No se trata de que tengamos que hacer

[40] López *La fiesta del Espíritu*..., 13-14.

500 actividades al año. No, vamos a educar y formar nuestra gente, de cómo cada uno vive una vida haciendo justicia en su ámbito personal. Nos enfocamos en enseñarle a nuestros hijos, a orar, leer la Biblia, venir a la Iglesia, pero ¿enseñamos de la misma manera a vivir haciendo justicia? De vez en cuando, los pastores asistan a las reuniones de los niños y jóvenes y enseñen cómo vivir haciendo justicia. Que nuestras congregaciones vean, que para nosotros hacer justicia es parte de nuestro estilo de vida. Dile a tus niños y jóvenes que en dos semanas vas a regresar y quieres que te den testimonio de los actos de justicia que hicieron. Si ponemos a los niños a que se aprendan los frutos del espíritu y los libros de la Biblia en orden, ¿qué tal si incluimos en su formación la práctica de lo que debe ser un verdadero creyente que actúa éticamente haciendo justicia?

Retos éticos confrontados con actos de justicia

Dice Darío López que la comprensión de la ética incluye la dimensión pública de esta, no como un mero apéndice a un recetario de doctrinas asépticas, sino como un estilo de vida que se expresa en acciones concretas de servicio al prójimo, de lucha por la justicia y de defensa de la dignidad humana.[41] Recuerdo a uno de mis profesores testificando acerca del barrio donde él vivía, antes había muchos bares y localidades donde la gente iba a beber y emborracharse, pero la presencia de la iglesia en aquel lugar, fue transformando aquella comunidad. ¿Podemos decir con libertad que en las comunidades donde se encuentran nuestras iglesias hay una transformación?

Si no hay un cambio y la comunidad sigue las corrientes de este mundo, nuestros jóvenes y niños también seguirán esas mismas corrientes. Vamos a mostrarles cómo vivir esta fe plenamente. Si aprenden un

---

[41] López *La fiesta del Espíritu...*, 30.

verso bíblico de memoria, no es para demostrar que eres una buena maestra o maestro de escuela bíblica, es para que lo vivan. Durante mi ministerio trabajando con los jóvenes, experimentamos la transformación y el cambio de muchos jóvenes. Pero lo más que me impactó, fue verlos conectados con labores sociales y en proyectos misioneros, pues aquello provocaba que ellos experimenten una vida de fe y de justicia como nunca antes.

Valores éticos: Urías

Continuando con los ejemplos bíblicos, ya hablamos de Salomón, de David y de lo que dice los Salmos, cuando vamos a confrontar estas situaciones inesperadas. Pero no puedo terminar este capítulo sin que miremos el ejemplo de Urías, quien fue el esposo de Betsabé, el cual el Rey David mandó a matar para ocultar su pecado, pues había embarazado a su esposa.

Urías fue fiel a su pastor (rey) y a su Dios. No era hebreo, era hitita, se convirtió y creyó en Dios y en su pastor (rey); esto nos da a entender que Dios aceptó a los gentiles mucho antes de la resurrección de Jesús. Fue un hombre justo que sufre hasta el final de su vida y que murió por sus principios. Esto nos lleva a la enseñanza de que hacer lo correcto no siempre significa que todo saldrá bien, sin embargo, Dios espera que nosotros hagamos lo correcto. Hay un famoso refrán, en mí país que dice, "la curiosidad mató al gato". A Urías lo mató la falta de curiosidad, lo contrario al refrán, pues no abrió aquella carta que contenía su sentencia de muerte.

¿Se habría dado cuenta Urías de las intenciones del rey? A Urías lo enviaron al frente, en lo más recio de la batalla y él no era cualquier soldado, era de los valientes de David (1 Crónicas 11.41). Aunque lo dejaron solo, él obedeció la orden del rey. No hay duda de que Urías tenía relaciones profundas con sus compañeros de milicia. Es probable que los soldados eran sus amigos y tal vez sufrieron ver cómo fue traicionado por el rey. Llego a esta conclusión, analizando su comportamiento, cuando teniendo la oportunidad de ir a su casa, decidió no ir, para no estar en una posición de ventaja en comparación a los soldados y jefes militares que estaban en el campo de batalla, durmiendo al aire libre en medio de la guerra. Esos son verdaderos lazos de unidad entre hombres, yo no soy hombre, pero si lo fuera, estaría muy agradecido de un hermano, de un amigo, que sea considerado conmigo, aunque yo no lo esté viendo, eso es fidelidad. Por último, a pesar de su lealtad fue traicionado por su pastor (rey). ¿Cuál fue la peor traición la de su esposa Betsabé o la de su rey? La traición de un pastor, además de dolorosa, es muy complicada de sanar.

La ética no se refiere simplemente a comportarse de una manera moralmente aceptable, la ética tiene que ver con la justicia; tiene que ver con hacerle el bien a los demás; tiene que ver con los que están dispuestos a pararse en la brecha por los necesitados, aunque esos necesitados sean
pecadores. "Busqué entre ellos un hombre que levantara una muralla y que se pusiera en la brecha delante de mí, a favor de la tierra, para que yo no la destruyera; pero no lo hallé" (Ezequiel 22.30). Tiene que ver con aquellos pastores que dan su vida por las ovejas, tiene que ver con aquellos líderes de iglesia que comparten lo que saben y lo que tienen para que todos estén en el mismo nivel para que nadie se quede atrás. Si no hacemos justicia no estamos poniendo la ética en práctica. Cuidado con la manera en la que le pagamos a los que nos han sido fieles. Si hablamos de los reclamos de la ética y cómo enfrentar las situaciones que nos llegan, recuerden que nosotros también debemos evaluarnos y aceptar cuando reaccionamos incorrectamente.

Dios le hace justicia a Urías. David nunca se olvidó de lo que le hizo a Urías porque Dios tomó la justicia en sus manos y como él lo derribó con espada, sabemos que la espada nunca se apartó de la casa de David. La historia de Urías nos ayuda a ser fieles a los nuestros y a darnos cuenta de que, si nosotros actuamos injustamente, nuestros hijos, nuestros jóvenes serán arrastrados por las consecuencias. Una de las cosas que no puedo dejar de mencionar es que aún en el Nuevo Testamento en la genealogía de Jesús, se menciona a Urías. Mateo 1.6 dice, Isaí engendró al rey David, y el rey David engendró a Salomón de la que fue mujer de Urías. Dios hasta el día de hoy le hace justicia a Urías.

Conclusión

¿Cómo enfrentamos los reclamos de la ética pastoral? Más ejemplos bíblicos.

Para los que ponen sus situaciones como excusa para no hacer justicia, la Biblia también nos habla de esto. Dice Ana Castillo que al igual que su suegra, Rut es viuda, pero no es una carencia lo que la determina a actuar. No es la búsqueda de un esposo por lo que decide seguir a Noemí, no es la falta de marido lo que la lleva a permanecer con su suegra libremente, asumiendo el riesgo de la privación. Noemí había abandonado su pueblo para buscar la abundancia, pero encontró la miseria y Rut eligió la carencia, pero encontró la abundancia.[42]

¿Acaso las acciones de Rut nos recuerdan a Jesús? Orlando Costas menciona en su libro Evangelización Contextual que en Cristo Jesús, Dios se hizo parte de la historia, identificándose con los más humildes de ella y sufriendo su más profundo dolor. El hijo de Dios se vació de su gloria y asumió la condición humana, sometiéndose a la debilidad y al sufrimiento de muerte y en su condición

[42] Ana L. Castillo, *Ester, Judit, Rut, Tobías: apócrifos del Antiguo Testamento* (Navarra, España: Editorial Verbo Divino, 2009), 152.

humana, se identificó con los necesitados. Nació en una familia de ambiente pobre, vivió una vida de pobreza y les dio opción preferencial a los pobres en su ministerio (Lucas 4.18-20) para salvar a la humanidad de su estado de pecado de muerte.[43]

Como individuos seleccionamos muchas veces a quienes vamos a ayudar o apoyar y miramos su trasfondo, pero ese no es el mensaje bíblico, sabemos que Dios no hace acepción de personas. Vale la pena mencionar como Justo González en uno de sus libros comenta sobre la genealogía de Jesús, con la cual muchos pentecostales nos podemos identificar. En lugar de esconder los trapos sucios en el armario genealógico de Jesús, los Evangelios los exponen, de modo que entendamos que el Salvador ha venido, no para convertirse en un poderoso aristócrata de sangre azul, sino para convertirse en uno de nosotros.[44] Por otro lado, la acción de Booz a favor de Rut y Noemí, es un ejemplo de cómo la iglesia debe ayudar a los necesitados. Booz es un personaje íntegro, su respeto a las leyes es ejemplar en la bondad que demuestra a Noemí y Rut; su elevado sentido del deber moral y en el reconocimiento de los derechos de los otros lo capacitó para obrar con justicia. Sin embargo, su respeto a la justicia no le impide usar su inteligencia sin faltar a su rectitud.[45]

¿Qué nos impide seguir el ejemplo de Booz? Ismael García nos dice que la ética cristiana no puede carecer de integridad teológica y la teología no justifica la apatía moral, ni la irresponsabilidad moral. Lo importante es que, una teología sin fundamento ético y una ética sin

---

[43] Orlando Costas, *Evangelización contextual. Fundamentos teológicos y pastorales* (Costa Rica: Sebila, 1996), 22.

[44] Justo L. González, *Teología liberadora. Enfoque desde la opresión en una tierra extraña* (Buenos Aires, Argentina: Ediciones KAIROS, 2014), 116.

[45] Ana Laura Castillo, *Ester, Judit, Rut, Tobías: apócrifos del Antiguo Testamento* (Navarra, España: Editorial Verbo Divino, 2009), 155.

fundamento teológico no constituyen una auténtica expresión de la fe cristiana.[46]

Que importante es abrazar la justicia como pueblo de Dios. En el caso de Rut, sabemos que había un pariente próximo, un rescatador que prefirió no intervenir porque no quería dañar su heredad al involucrarse con una extranjera. René Padilla escribió que no podemos escoger quien recibe nuestra ayuda, pues las víctimas no se escogen. Nuestro llamado es servir y debemos vivir siguiendo el ejemplo de la parábola del Buen Samaritano. La Biblia no ofrece detalles de la víctima, lo único que se sabe es que era un hombre, pero no menciona nada de su raza, profesión, estatus, ideología, no sabemos nada de eso.[47]

Nuestras iglesias pentecostales, aunque ha sido reconocidas como una poderosa fuerza en la evangelización, las misiones mundiales, el crecimiento de la iglesia y la espiritualidad, es igualmente cierto que sus servicios y voces proféticas en contra de las estructuras sociales pecaminosas y en pro de la justicia social han estado ausentes.[48] Entonces tenemos un desafío como pueblo de Dios. No podemos hacer justicia dentro de las cuatro paredes, hemos estudiado la Palabra por años, escuchamos los sermones que son los mensajes de la Palabra de Dios, dos y tres veces a la semana. Hacemos servicios de oración y vivimos una vida de ayuno y oración, y en nuestros cultos pentecostales hemos experimentado de manera poderosa la presencia del Espíritu Santo. Y todo esto, nos ha marcado, nos ha

---

[46] Ismael García, *Introducción a la Ética Cristiana* AETH. Kindle Edition (Nashville: Abingdon Press, 2003), location 184 of 3547.

[47] René Padilla, et al., *Los derechos humanos y el Reino de Dios*. Kindle Edition (Lima, Perú: Ediciones PUMA, 2010), 16.

[48] Eldin Villafañe, *El Espíritu liberador. Hacia una ética social pentecostal hispanoamericana* (Buenos Aires, Argentina: Nueva Creación, 1996), 174.

transformado y nos ha convertido en gente decente y noble que le gusta ayudar, pero todavía nos falta servir fuera con mayor intención y que nuestros jóvenes, desde niños experimenten esta vida en nuestras congregaciones.

Eldin Villafañe relata que el amor movió a Jesús a ayudar a la gente y no consideró lo que eso le costaría, él se relacionó con lo vil y menospreciado, rameras, publicanos, leprosos, entre otros. Villafañe nos invita a amar como Jesús amó, como dice la Palabra, amar al prójimo como a nosotros mismos, y aún a nuestros enemigos. La vida y la cruz de Jesús son nuestros modelos de alcance y la profundidad que debe tener nuestro amor.[49] Me impresiona lo que dice la Palabra en Miqueas 6.6-8.

> ¿Con qué me presentaré ante Jehová, y adoraré al Dios Altísimo? ¿Me presentaré ante él con holocaustos, con becerros de un año? ¿Se agradará Jehová de millares de carneros, o de diez mil arroyos de aceite? ¿Daré mi primogénito por mi rebelión, el fruto de mis entrañas por el pecado de mi alma? Oh hombre, él te ha declarado lo que es bueno, y qué pide Jehová de ti: solamente hacer justicia, y amar misericordia, y humillarte ante tu Dios.

Todo lo que hacemos en nuestros servicios es importante, ese tiempo especial con nuestro Dios, junto a los hermanos, en armonía, alabando y sacando de nuestro tiempo para honrar y adorar a Dios es algo que necesitamos y nos edifica de manera especial. La pregunta de reflexión sería si estamos practicando el hacer justicia y amar misericordiosamente como dice Miqueas.

Dice Charles Mott que tener conciencia de esto afectará nuestra actividad en el mundo y cambiará nuestra forma de ser, de una obediencia pasiva a una responsabilidad activa. No podemos desentendernos de

---

[49] Villafañe, *El Espíritu liberador...*, 182.

nuestra responsabilidad aceptando pasivamente el *status quo* (el orden establecido) como la voluntad de Dios.[50] Somos la sal de la tierra y la luz de este mundo, ya es tiempo que la sociedad experimente lo que esto significa.

Finalmente, eduquemos, formemos, invirtamos tiempo con nuestra gente, demos el ejemplo y actuemos con justicia. Recordemos lo que dice 2 Corintios 5.21 "Al que no conoció pecado, por nosotros lo hizo pecado, para que nosotros fuésemos hechos justicia de Dios en él".

Preguntas para reflexionar

1. Luego de leer el capítulo, menciona en tus propias palabras ¿qué tiene que ver la ética con la justicia? No olvides dar un ejemplo.
2. ¿Cuál es la diferencia entre hacer justicia y pasar juicio? Usa el ejemplo del juicio de Salomón con las dos rameras que fueron a reclamar su maternidad.
3. ¿Cómo extraer el consejo bíblico si no existen pasajes en la Biblia que mencionen directa o exactamente las situaciones que enfrentamos en el siglo XXI?
4. ¿Cuál es el consejo de Salmos 4.4-8 cuando nos llega una situación inesperada y difícil de confrontar a nuestras vidas?
5. ¿Qué aprendemos del ejemplo de Urías? ¿Cuál fue la peor traición la de su esposa Betsabé o la de su rey? ¿Cómo Dios le hizo justicia a Urías después de su muerte?

---

[50] Stephen Charles Mott, *Ética bíblica y cambio social* (Grand Rapids, Michigan: Nueva Creación, 1995), 18.

Bibliografía

Castillo, Ana L. *Ester, Judit, Rut, Tobías: apócrifos del Antiguo Testamento*. Navarra, España: Verbo Divino, 2009.

Costas, Orlando. *Evangelización contextual. Fundamentos teológicos y pastorales*. Costa Rica: Sebila, 1996.

García, Ismael. *Introducción a la Ética Cristiana AETH*. Nashville: Abingdon Press, 2003.

González, Justo L. *Teología liberadora: Enfoque desde la opresión en una tierra extraña*. 2nd ed. Florida: Ediciones Kairós, 2014.

López, Darío. *LA FIESTA DEL ESPÍRITU: Espiritualidad y celebración pentecostal*. Lima, Perú: Ediciones Puma, 2014.

Mott, Stephen C. *Ética bíblica y cambio social*. Grand Rapids, Michigan: Nueva Creación, 1995.

Padilla, C. R. *Los derechos humanos y el reino de Dios*. Lima, Perú: Centro deInvestigaciones y Publicaciones (CENIP) - Ediciones Puma, 2010.

Ropero, Alfonso. *Diccionario Enciclopédico Bíblico Ilustrado CLIE*. Edited by Alfonso Ropero. Barcelona, España: Vida Publishers, 2021.

Villafañe, Eldin. *El Espíritu liberador. Hacia una ética social pentecostal hispanoamericana*. Buenos Aires, Argentina: Nueva Creación, 1996.

Capítulo 3

La mentoría como ministerio de acompañamiento

José A. Santos Horta, DMIN[51]

Introducción

La iglesia cristiana y, dentro de esta, la pentecostal, enseña lo que ha aprendido de la Palabra: *"de gracia recibisteis, dad de gracia."* Mateo 10:8 RVR 1960. El dar representa una de las dinámicas del reino que trae toda clase de beneficios, ya sean espirituales, materiales y en las relaciones con los demás. El mejor ejemplo de dar lo tenemos del mismo Dios quien no escatimó en dar a su propio Hijo para beneficio de todo aquel que en Él cree: "El que no escatimó ni a su propio Hijo, sino que lo entregó por todos nosotros, ¿cómo no nos dará también con él todas las cosas?" Romanos 8:32 RVR 1960; "Porque de tal manera amó Dios al mundo, que ha dado a su Hijo unigénito, para que todo aquel que en él cree, no se pierda, más tenga vida eterna." (Juan 3:16 RVR 1960".

---

[51]El doctor José A. Santos Horta es el Decano de Acreditación y Efectividad Institucional del Instituto de Liderazgo y Ministerio (INLIMI) y de la Universidad de Liderazgo y Ministerio (UNILIMI).

Como parte de mi experiencia como ministro de la iglesia cristiana pentecostal, he notado que un sector de la pastoral pentecostal necesita ayuda y compañía en la práctica pastoral. Existen pastores que han sido colocados frente a congregaciones de desafíos intensos y necesitan consejo y recursos ministeriales que los ayuden a lidiar con los desafíos diarios de las iglesias. Estos ministros dan el todo para lograr levantar obras que sean relevantes a la comunidad donde están establecidas. En este esfuerzo existe un porcentaje de pastores que abandonan el ministerio, porque no reciben la ayuda necesaria para enfrentar los desafíos del ministerio.

Aunque muchos ministros responden al llamado divino de servir, cuando comienzan a liderar, se sienten solos e incapaces de llevar su congregación a otro nivel. Se escucha el grito: "¡Necesito Ayuda!", con la esperanza de que alguien pueda percibir la necesidad y que aparezca una mano que les sostenga, ayude, capacite y acompañe al ministro que desea abandonarlo todo.

En este capítulo voy a presentar un plan de mentoría para pastores pentecostales. Este plan va dirigido a todos aquellos ministros que claman por ayuda, y que piensan que han sido abandonados en el ministerio.

Definiciones

1. La *mentoría* es una práctica de enseñanza y aprendizaje, que se lleva a cabo con la asesoría y guía de una figura con experiencia y compromiso para ayudar a otros, mejor conocida como "mentor".
2. El *mentor* es aquella persona que intencionalmente comparte su experiencia para ayudar a los demás. Se trata de una fuente de inspiración en un tema o ámbito determinado. En este sentido, un buen mentor se caracteriza por ser empático, fomentar la creatividad, orientar con

miras hacia los resultados, tener capacidad de escuchar y de saber hacer frente a los obstáculos.

3. El discípulo o *aprendiz* recibe de forma activa la impartición de conocimientos y destrezas que le ayudarán durante el proceso de aprendizaje, para luego, con la ayuda de su mentor, lograr conseguir los objetivos deseados.

Mentoría: Ministerio de acompañamiento

El ministerio de la mentoría comenzó en el mismo corazón de Dios. Tenemos el mejor ejemplo de mentoría en nuestro Señor Jesucristo, quien llamó a doce hombres comunes, los adiestró o capacitó en el entendimiento de su visión del reino de los cielos, y los envió para que, así como ellos fueron mentoreados, pudieran servir de mentores a muchos y les entregó la siguiente misión: predicar el evangelio a toda vida y hacerlos discípulos (Mateo 28:18-20).

Mientras estuvieron caminando con el Señor, los discípulos fueron adiestrados y capacitados para enfrentar los eventos de la vida. Si indagamos en el Nuevo Testamento podemos encontrar figuras como la de Pedro, Juan, Esteban, Felipe y Pablo, entre muchos otros, que dedicaron sus vidas al evangelio y ministraron diversas necesidades según lo aprendieron de Jesús. Con la sombra de Pedro se sanaban los enfermos; Juan participó junto a Pedro en sanidades; Esteban y Felipe, siendo diáconos, se dieron a la tarea de evangelizar; y, finalmente, Pablo, se dedicó a plantar y confirmar iglesias dentro del mundo gentil. Quizás podamos pensar que, estos hombres pudieron con la carga ministerial porque caminaron o tuvieron la experiencia de convivir con los apóstoles de la era, o más bien, tuvieron un encuentro (teofanía) con Cristo.

El hecho de que estos hombres recibieran el favor de Dios para hacer ministerio no les eximía de la persecución, la burla, la crítica y mucho peor, la separación de sus seres queridos. Además de haber tenido una experiencia cercana con su Salvador, estos hombres fueron investidos de poder de lo alto. El Espíritu Santo se convirtió en su mentor. Quiere decir que nunca estuvieron solos. Así mismo los ministros y pastores de nuestra época no deben sentirse solos porque el Espíritu Santo (Dios en nosotros), nos capacita, orienta y fortalece para hacer lo que el Señor coloque en nuestra agenda ministerial.

La mentoría es un instrumento de acompañamiento que el mentor utiliza para ministrar de forma personal a su discípulo, alumno o protegido. Es posible que el vínculo que se crea entre mentor-alumno florezca en una amistad que más adelante resulte en una relación familiar. Esta definición nos puede ayudar a establecer un ministerio de mentoría para esos pastores y ministros que carecen de dirección y cuidado. La mentoría puede llegar a ser una relación paternofilial, donde al mentor, en algunos lugares, se le conoce como la cabeza. Está bien reconocer que el mentor es el guía para el alumno, pero es Dios (Jesucristo), quien es la cabeza en todo. Con relación a esto, el autor Miguel Ángel León Rodríguez, comenta:

> Cuando aplicamos el término cobertura espiritual a lo que una persona puede dar a otra persona, limitamos su significado, la medida y su eficacia, realmente se queda muy corto para expresar las diversas responsabilidades que tienen los ministros a la hora de hacer su trabajo asignado por Dios. En cambio; cuando entendemos que la cobertura espiritual la da Dios y proviene exclusivamente de ÉL, esta se vuelve algo ilimitado y efectivo, que lo abarca todo en la vida de quien la recibe, este término en sí mismo da la idea de un techo o cubierta sobre tu cabeza, y aunque eso es cierto en parte, sobre todo cuando hablamos de la protección que tiene el creyente cuando está bajo el

cuidado de su mentor espiritual, obviamente el ministro no puede ser el techo de su crecimiento, porque se estaría convirtiendo en una medida muy limitada para el desarrollo de aquel a quien da cobertura espiritual, la palabra es muy clara, la medida es Cristo no el pastor. [52]

En la mentoría, no sólo se dirige la vida espiritual del alumno, también, un buen mentor se ocupa en que su discípulo aprenda, hasta donde más pueda, sobre las experiencias que otros mentores han plasmado en libros. Como mentor, he tenido el privilegio de haber sido mentoreado–por profesores y ministros que me fueron guiando de su sabiduría, pero que también tenían el conocimiento de una bibliografía que podía ser de mi ayuda. En cuanto a esta gestión de ayuda del mentor, Orrin Woodward nos orienta:

> Una función importante de los mentores consiste en que sus discípulos lean mucho y, de esta forma, se vuelvan hombres y mujeres de sustancia que estén familiarizados con grandes ideas en numerosos campos. La mejor forma de hacerlo es, por supuesto, mediante el ejemplo. Luego, junto con una sólida base de clásicos, el mentor podrá sugerir libros y lecturas clave que aborden las necesidades, los desafíos y los proyectos actuales del discípulo. Los líderes son lectores, y los grandes líderes son grandes lectores. La clave es leer. Comience a leer libros importantes y continúe leyendo. Los grandes libros son los mentores del gran pensamiento, y no hay habilidad más valiosa para el liderazgo que un pensamiento efectivo.[53]

---

[52] Miguel Ángel León Rodríguez, *¿Cobertura, paternidad o mentoría espiritual?* (Kindle Edition) (2020), 5.

[53] Orrin Woodward, *Cuestión de Mentoría: Objetivos, tecnicas y herramientas para convertirse en un gran mentor,* Kindle Edition (Cary, NC: Obstacles Press, 2013).

He visto, a través de mis más de treinta años de ministerio, que el cuidado pastoral se activa cuando los ministros han "tirado la toalla", o ya han confrontado algún tipo de problema, o han caído, lamentablemente, en pecado. Meditando en la salud y vida espiritual de nuestros ministros es que presento esta alternativa que ayude a diagnosticar posibles problemas entre nuestros ministros. La propuesta es la de incorporar un plan de mentoría que sirva como un esfuerzo que sea utilizado por la iglesia pentecostal para socorrer y ayudar a aquellos líderes de nuestras iglesias que están pasando por dificultades. Este ministerio de ayuda requiere de ministros maduros, de buen testimonio, comprometidos con Dios y la iglesia, y que sean relevantes y prestos a ayudar a otros.

Dentro de este ministerio de acompañamiento, el mentor, se conecta con congregaciones que están establecidas y están funcionando. He encontrado que todavía hoy existen ministerios sin dirección, visión ni liderazgo. Estas congregaciones dan lo mejor de sus corazones a las comunidades a las que sirven. Los líderes que no tienen mucha experiencia, ni formación ministerial o que necesitan una educación formal, sus ministerios se convierten en una experiencia de mantenimiento para sus congregaciones. Es decir, guían a las congregaciones como mejor pueden. Por consiguiente, llevan a sus iglesias a conformarse con la participación en programas, en lugar de guiarlas a alcanzar nuevas metas y objetivos para elaborar su propias visiones, misiones y estrategias de trabajo. A continuación, estaremos explorando lo que sería un plan de mentoría.

Mentoría: Cualidades de un buen mentor

Discutamos ahora lo que otros piensan de la mentoría como herramienta en el liderazgo de la iglesia. Desgraciadamente, no todos tenemos lo que se necesita para ser un buen mentor. Para ser un buen mentor se necesita estar conectados con la fuente de toda sabiduría, el Dios de lo alto. Siendo que estamos conectados con Dios, entonces podemos mostrar una vida de disciplina ministerial para poder testificar a otros. Como pentecostales, creemos que la experiencia de la salvación y los dones del Espíritu Santo son para todos. Eldin Villafañe nos instruye: "Para el pentecostal los acontecimientos del día de Pentecostés dan validez a su experiencia hoy del Espíritu Santo"[54]. Basándome en esta creencia puede inferir que un buen mentor pentecostal se dirige por la obra que el Espíritu Santo hace en él o ella.

El ministerio de mentoría refleja la vida devocional del ministro mentor y define su teología del acompañamiento en la obra que realiza con sus semejantes. Para ser un buen mentor debemos testificar el carácter de Cristo en nuestras vidas. Don Hawkins nos comenta que: "Llevar a hombres y mujeres desesperadamente necesitados del mensaje que da vida, el de Cristo, era la pasión de aquellos que siguieron al Señor, así como lo es para nosotros hoy". [55]

Ser un buen mentor requiere carácter. George Barna explica: "liderazgo nos es a base de destrezas, es a

---

[54] Eldin Villafañe, *Introducción al Pentecostalismo, Manda Fuego Señor* (Nashville, TN: Abingdon Press, 2012), 23.

[55] Don Hawkins, *Master Discipleship Today, Jesus's Prayer and Plan for Every Believer* (Grand Rapids, MI: Kregel Publications, 2019), 173.

base de carácter". [56] Quiere esto decir que lo que pretendemos ser como líderes se demuestra con un testimonio de lo que verdaderamente somos. Sigue diciendo Barna: "Es importante centrarse en el carácter en el sentido de que quién eres determinará tu éxito con el tiempo... El carácter también se trata en cómo afrontar el fracaso"[57]. Un mentor con carácter se muestra honesto y servicial en todo momento de la mentoría. Es posible que mientras estamos tratando con las situaciones de nuestros aprendices nos encontremos con situaciones engorrosas, de mal gusto, hasta un tanto difíciles de tratar. Pero, sabiendo que la mentoría es un ministerio de acompañamiento, esas situaciones que a veces no entendemos, las debemos enfrentar de la misma manera que cuando las cosas "marchan a pedir de boca".

Los mentores son líderes que influencian a otros a lograr sobresalir o tener éxito en la vida. Preocuparse por lograr que su discípulo sea sobresaliente en todo es parte de lo que el liderazgo requiere. Un líder influenciador puede llegar a ser un buen mentor. La influencia, comenta Aubrey Malphurs, "implica impulsar a las personas a cambiar su forma de pensar y, en última instancia, su comportamiento. Esto se consigue por persuasión, estímulo y un ejemplo piadoso. Lo que estos métodos tienen en común es que mueven a las personas a cambiar porque quieren, no porque tienen que hacerlo".[58]

Enfocarse en las faltas de otros no lleva a poder ser un mentor de éxito. Tenemos que ser empáticos y entender por qué los líderes de las iglesias fracasan en sus ministerios. Sabemos que una de las razones primordiales es la invitación al pecado, o la mengua en la conexión con

---

[56] George Barna, Bill Dallas. *Master Leaders: Revealing Conversations with 30 Leadership Greats* (Nashville, TN: Tyndale Momentum, 2014), 122-123.

[57] Barna, *Master Leaders...*, 123

[58] Aubrey Malphurs, *Being Leaders, The Nature of Authentic Christian Leadership* (Grand Rapids, MI: Baker Books, 2004), 93.

Dios. De todos modos, no podemos, como dice el refrán, "hacer leña del árbol caído, es nuestro deber levantarlos y restaurarlos. En otra de sus publicaciones, Aubrey Malphurs, acompañado de Will Mancini, nos expresan: "Centrarse en las fortalezas no significa que ignores por completo las debilidades, especialmente las más evidentes. Sin embargo, no te detengas en ellos. Comience siempre una evaluación formal centrándose en las fortalezas de la persona."[59]

Mentoría: Intereses y preocupaciones

La creación de un Ministerio de Mentoría puede servir como el programa de apoyo a los pastores e iglesias existentes, que claman por ayuda. La ayuda puede ser de restauración del ministro, o muy bien puede hacerse para revitalizar iglesias que están a punto de colapsar. No debemos seguir añadiendo estadísticas de cierre de iglesias.

El mentor o mentores que guiarán dentro de este proceso deben ser ministros capacitados, que trabajen en conjunto a las oficinas administrativas de los concilios u iglesias independientes. Este plan también sugiere la capacitación de mentores que se unan al esfuerzo de equipar, orientar y ayudar a nuestros ministros que claman por ayuda. Es de mucha satisfacción que los asuntos de la casa se atiendan en la casa. Por esto los mentores trabajarán en un compromiso de confidencialidad y sólo reportarán casos que violen los derechos de otros y que estén fuera de lo prescrito por la ley penal o civil.

---

[59] Aubrey Malphurs y Will Mancini, *Building Leaders, Blueprints for Developing Leadership at Every Level of Your Church* (Grand Rapids, MI: Baker Books, 2005), 186.

El mentor debe tener suficiente experiencia pastoral que sirva como enlace entro los ministros mentoreados y el cuerpo administrativo de los concilios u iglesias. Bajo ningún concepto el mentor estará involucrado en la toma de decisiones, actividades administrativas de las iglesias locales u otras tareas que sean responsabilidad del ministro mentoreados.

El trabajo del mentor es el de visitar aquellos casos donde los ministros requieran y pidan ayuda. Su labor será la de ayudar a los pastores en sus necesidades personales y/o ministeriales. Se han dado casos donde los pastores están pasando por situaciones serias y no tienen un hombro donde llorar. El mentor acudirá a este ministro con la misión de fortalecer su carácter cristiano, solidificar su testimonio y facilitar los esfuerzos de restauración. Muchos ministros renuncian a su llamado por caer en episodios donde han carecido de un consejero o de alguien con la capacidad de ayudarles a tiempo.

El ministerio de mentoría es muy necesario en estos tiempos difíciles donde la apostasía y el libertinaje están atacando a las familias y a las iglesias, pero mucho más fuerte a sus líderes y pastores. Hace falta ministros que se levanten en el poder de pentecostés y ayuden a restaurar las vidas de estos hombres y mujeres que han decidido apartarse del ministerio y de Dios.

Muchos de los ministros que están pasando por este tipo de situación delicada, se han mantenido anónimos. Existen los que han caído tan profundo que, por vergüenza, no se atreven a pedir ayuda, y no desean enfrentar sus realidades. La ayuda de un mentor debe llegar a tiempo como un esfuerzo preventivo y no con una actitud de juicio. Presento este trabajo de mentoría como "medicina preventiva" que ayudará a fortalecer y levantar brazos caídos. Nos ayudará a reevaluar nuestros ministros y ministerios, reafirmar sus llamados, descubrir esas áreas que necesitan atención inmediata y lograr mostrar delante de Dios y de los hombres, obreros aprobados que no tienen de que avergonzarse (2 Timoteo 2:15).

Con este trabajo no pretendo traer la solución inmediata a todos los problemas o situaciones ministeriales de la iglesia. Tampoco es mi deseo compartir una receta con la prescripción que aliviaría todos los asuntos que otros no han podido resolver. Mi aportación, más bien, es de carácter informativo y educacional con el llamado a que abramos nuestros ojos y veamos que los estadísticos se están dando un banque cuando reportan sobre la deserción y cierre de ministerios y, además, describen la inhabilidad de la iglesia del Señor de resolver sus problemas internos. Los números de pastores y ministros que abandonan a la iglesia y al Señor son alarmantes y continúan en ascenso. Una cosa si podemos hacer y es la de provocar que dentro de nuestros círculos de pastores y ministros tengamos siervos que han sido debidamente atendidos para prevenir que caigan (1Corintios 10:12; 1 Timoteo 3:7).

Mentoría: El Plan

Los números no mienten: ¡Existe un estado de emergencia de nuestra iglesia! Nosotros, como líderes, tenemos en nuestras manos un quehacer para mejorar la situación. La mentoría o tutoría puede ser esa alternativa que resulte como la mejor respuesta para la solución de este asunto. El plan de mentoría comienza con la iniciativa de ministrarse unos a otros, antes de que llegue el día malo o el problema. La mentoría tiene el objetivo de crear una fuerza de hombres y mujeres de Dios que deseen, de una manera respetuosa, dedicarse a restaurar las almas ministeriales que están al borde del abismo.

El plan de mentoría consiste en la visita intencional de un mentor a otros miembros del clero, de su propia denominación eclesiástica, o de otra denominación, incluso a líderes de iglesias no denominacionales para: 1) establecer relaciones, 2) conocer sus necesidades o problemas, 3) reforzar, reafirmar y revitalizar sus ministerios, y 4) restaurar a los que están al borde de la caída.

Establecer relaciones

El pastorado es visto como un ministerio de soledad, donde el pastor no debe intimar con sus congregantes por miedo a la seducción, o a compartir situaciones íntimas que puedan divulgarse y con ello hacerle daño a las congregaciones. Es muy necesario que los ministros de ciertas áreas geográficas se conozcan, aprendan a respetarse como individuos y como siervos del evangelio y lleguen a tener una mutua aceptación. Estoy más que seguro que todos los ministerios que hemos catalogados como cristianos anuncian el sacrificio de Jesucristo en la cruz del Calvario, el cuál es el único vehículo que conduce a la salvación de las almas. Si nos autoproclamamos cristianos, entonces predicamos lo mismo: que Cristo salva, sana, bautiza con el Espíritu Santo, santifica y viene nuevamente. El evangelio completo entonces debe ser el mayor motivo de unidad en el pueblo de Cristo.

Pablo hablando a los Efesios les instaba a que procuraran la unidad en el cuerpo de Cristo, hasta que todos lleguemos al conocimiento del Hijo de Dios, a un varón perfecto... (Efesios 4:13). Lamentablemente en vez de amistad hemos encontrado rivalidad y distancia entro los distintos ministerios. Muchos opinan que esto sucede por no tener la misma visión, y me pregunto: ¿Cuál es esa visión? La visión y misión de la Iglesia deben estar cimentadas en la predicación del evangelio y el esfuerzo de hacer discípulos, que fueron las instrucciones finas que diera nuestro Salvador a sus discípulos y por ende a todo creyente. Quiere decir, que es de suma importancia poder reconocer nuestras similitudes, así como también nuestras diferencias y cuando nos reunamos poder confraternizar dentro de esas cosas en las que somos congruentes.

Nosotros, los ministros que hemos tenido la experiencia de la academia, tenemos por delante una vasta obra de restauración a pastores caídos o por caerse, ayudándoles a que puedan adiestrarse de la misma manera que nosotros lo hicimos, y brindándoles educación en cuanto a la administración de sus vidas personales, sus familias y ministerios. Es una realidad que antes carecíamos de los mismos recursos que nuestros compañeros ministeriales carecen hoy. ¿Por qué no darles a saborear del manjar que fue servido a nuestra mesa y por el cual muchos solamente están engordando académicamente?

Conocer sus necesidades o problemas

Aparte de la necesidad del conocimiento académico, nuestros compañeros de milicia tienen otras necesidades de índole física (enfermedades), emocionales y espirituales (pecado), trastornos sociales (asuntos de inmigración), y muchos otros, pero mencionamos estos por ser los más frecuentes y los que más están manchando la obra ministerial en las comunidades que sirven. Dentro del ministerio de mentoría es vital que indaguemos en estas situaciones, primeramente, cuidándonos nosotros mismos, no sea que caigamos en la situación de ser ciegos guiando a otros ciegos. Quiere decir que un mentor debe presentarse en santidad delante de Dios y los hombres para poder ser de ayuda. La santidad la puedo definir como la capacidad que tiene el ser humano para rechazar el pecado y apartarse en una posición de sanidad en el ejercicio de la humildad y amor característicos de nuestro Señor.

Reforzar, reafirmar y revitalizar sus ministerios

Una de las armas que mejor pueden ayudar a resolver estas situaciones ministeriales es el adiestramiento de nuestros ministros. Muchos esperan a que dentro del concilio o de la sociedad se levanten oportunidades para escuchar lo que ha provocado el éxito a otros ministros y/o ministerios. Entiendo que estas conferencias han sido de ayuda a muchos y que se han traído temas que verdaderamente tocan el corazón de nuestros ministros. Pero la experiencia es pasajera o muy rápida, sólo un día, o una semana. Pero ¿qué pasa después de la conferencia? Es ese momento donde se debe presentar un mentor capacitado y pueda compartir conocimientos ayudando a nuestros compañeros a poder digerir el alimento que le fue dado en un abrir y cerrar de ojos.

Ese esfuerzo no es sólo para impresionar al necesitado, sino para identificar las áreas de necesidad, establecer un currículo de ayuda, y finalmente, lograr un cambio o crecimiento. Para reforzar los ministerios se debe diagnosticar las áreas de necesidad. Este diagnóstico lo podemos poner en práctica con cuestionarios que ayudarían a tabular esas áreas necesarias a cambiar. Luego el mentor, después de haber programado y discutido el plan de trabajo con su prospecto, comenzará una serie de reuniones donde se establecerán metas a alcanzar. Finalmente, el mentor procurará que su discípulo comience a trabajar con menos ayuda hasta lograr que este se convierta en mentor para otros.

Restaurar a los que están al borde de la caída

¿Qué hacemos entonces cuando nos enteramos de que uno de los nuestros anda por mal camino y está viviendo una doble vida, predicando en las iglesias a sabiendo de que no está del todo bien con el Señor? Una de las áreas dentro de la consejería que tiene que cultivarse a la hora de ministrar a los que han caído de la gracia de Dios, es la de mantener confidencialmente la situación. La confidencialidad, es la manera de mantener en secreto el hecho o sucesos conocidos, la cual pertenece al ministro caído, y la cual debemos respetar; a menos que se haya cometido una violación a las leyes o se haya atentado contra la vida de un semejante o la del mismo ministro. En tales casos el mentor tiene la responsabilidad de denunciar a las autoridades civiles al ministro ofensor y dejar que sea el sistema penal de la ciudad o estado quien se encargue de la situación.

De todos modos, nuestro trabajo no es el de fiscalizar ni enjuiciar a la persona, nuestro trabajo entonces será el de orar por el ministro y los afectados. Debemos tener cuidado cuando queremos tomar el papel de juez en estas situaciones, ya que el único juez es nuestro Soberano Dios, quien, en su momento indicado, señalará cual será el veredicto, recuerde lo que pasó con la mujer que fue sorprendida en adulterio (Juan 8).

Es de regocijo cuando podemos ver que ministros que estén o hayan pasado por experiencias negativas puedan ser restaurados. Es por esto por lo que en el encabezamiento escribo restaurar a los que han creído y siguen creyendo, porque cuando no se ha perdido la fe todavía hay esperanza para la restauración y el perdón. Recordemos que muchos de nosotros no éramos unos santitos a la hora que Dios trató con nuestras vidas, y fue por el ejercicio de nuestra fe que pudimos recibir de parte de Dios el amor, perdón y aceptación; fue sólo el amor de Dios el que pudo confrontarnos con la realidad de que, si seguíamos el camino por donde estábamos caminando, nos esperaba el fracaso, la condenación y la muerte.

Mentoría: Variables y Ajustes

Este proyecto tiene la base primordial de efectividad en la práctica. Se necesita establecer nuevos modelos con pastores que comiencen obras nuevas y que se vallan adiestrando ministerialmente. Con un programa de mentoría se pueden revisar los avances, funcionamiento y efectividad del ministro y de la congregación. Considero que, con iglesias establecidas, según lo demuestra la encuesta que realizamos como parte de la disertación doctoral, no podemos hacer mucho trabajo. Los pastores serían nuestro punto de trabajo, como estrategia para llegar a la iglesia.

Existen varios tipos o modelos de mentorías, aunque todos se sustentan en escuchar, preguntar y opinar:

1. **Intervención Personal (uno a uno):** reuniones personales donde el mentor explora las necesidades de su aprendiz.
2. **Intervención Bidireccional:** con la ayuda de otro mentor se da dirección al aprendiz.
3. **Intervención Grupal:** el mentor comparte su experiencia con un grupo de aprendices.

Modelo 1-Intervención Personal (uno a uno)

Este modelo nos deja ver cómo será la experiencia del mentor con su discípulo. Notemos que, primeramente, el mentor reúne la información necesaria para poder determinar cuál es el diagnóstico, o sea, como habrá de intervenir y por qué. Para poder ser efectivo en la solución de los problemas que tiene su discípulo, el mentor debe reunirse con cierta frecuencia que le permita ofrecer confianza, amistad, respeto y sobre todo confidencialidad. En este momento el mentor puede detectar que tipo de situación está sobrellevando su discípulo y puede saber cómo intervenir.

El segundo paso es el de intervención. Es en este momento que el mentor ha recibido de parte de su discípulo el visto bueno para ser parte de la solución. Recomendamos que no prosiga con la intervención hasta que este seguro que el discípulo le otorga el privilegio de ministrarle. Dentro del periodo de intervención las visitas entre mentor y discípulo se hacen, intencionalmente, más frecuentes. No es que vallamos a ser los policías de la persona en necesidad, sino que estaremos pendientes del progreso de cuidado y restauración que estará ministrando. Es en este momento donde el acompañamiento es imprescindible. El mentor se reúne con su discípulo, ora, tiene momentos de discusión de la Palabra, y presenta un plan de restauración.

La grafica muestra ese proceso de Diagnóstico - Intervención - Restauración:

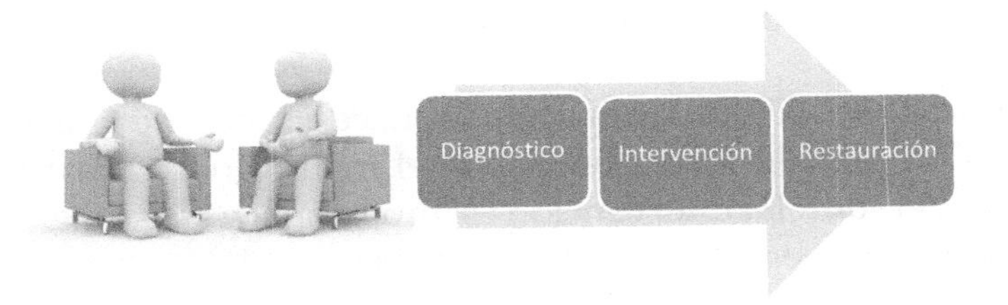

Figura #1

Modelo 2- Intervención Bidireccional

En este modelo de mentoría, el mentor requiere la ayuda de otro mentor o de un profesional que sea un experto en la situación que presenta el discípulo. El proceso es una repetición del Modelo 1, con la diferencia que el mentor será quien dirige las reuniones con otros mentores o profesionales. En este momento el discípulo estará recibiendo ayuda directa de su mentor con intervenciones secundarias o indirectas de otros mentores o recursos.

Figura #2

Modelo 3- Intervención Grupal

En este modelo se comparten las necesidades y problemas en un foro de discusión donde el mentor funciona como moderador. La intervención es impersonal y se requiere de unas intervenciones personales (Modelo 1). Para atender situaciones o problemas que no se ventilarán en el foro de discusión, el mentor visita en privado a la persona que no desea compartir su situación.

Figura #3

Mentoría: el pastor como mentor a una nueva generación

Para ayudarnos a entender el papel del pastor pentecostal como mentor de una nueva generación debemos primeramente explicar lo que es la mentoría intergeneracional. La mentoría intergeneracional es la actividad de un pastor o líder cuando escoge acercarse a otra persona joven (o viceversa) con la intención de ayudarle a aprender y crecer en la vida y ministerio. Hemos llegado a pensar que la necesidad de la mentoría estriba solamente en la experiencia de una persona anciana (adulta), hacia un aprendiz de menos edad (joven). Nuestra sociedad está llena de personas de edad joven que pueden llegar ser mentores efectivos, aunque aparenten pertenecer a un grupo social que denote lo contrario. Nuestros jóvenes del siglo XXI han alcanzado experiencia de la vida a ritmos mucho más acelerados que los que pertenecemos a grupos como los "Baby Boomers'. La informática, la tecnología y todos los avances que hoy disfrutamos, canalizados en una experiencia de cuidado, pueden llenar los vacíos que muchos pastores y ministros poseen.

Pasos para llegar a ser un buen mentor: (Adaptado del libro Mentoría al minuto, Ken Blanchard)[60]

1. La búsqueda: Sea intencional a la hora de presentarse como mentor de otros.
2. La primera reunión: Aprenda y entienda el campo o la ayuda que necesita el aprendiz.

---

[60] Ken Blanchard y Claire Diaz-Ortiz, *Mentoría al minute*, Kindle Edition (Estados Unidos: HarperCollins, 2017), 141.

3. Una declaración de misión clara: Establezca ciertas reglas básicas al principio para el tipo de colaboración que esperan mutuamente Un mentor no necesariamente tiene que estar en el mismo campo que usted.
4. Frecuencia de las reuniones.
5. Temas que discutirán.
6. Forma de comunicación
7. Colaboración: Establecer la relación
8. Tome tiempo para la introspección
9. Declare su verdad
10. Aprenda a trabajar con una red de contactos
11. Edifique confianza
12. Compartir oportunidades
13. Evaluación y renovación
14. La mentoría nunca termina

Conclusión

Un Plan de Mentoría para pastores hispanos será un buen ministerio de ayuda, apoyo y desarrollo, que puede ser implementado cuando todas las partes involucradas estén listas para hacer el lanzamiento. No estamos hablando de una utopía, llevar este plan a la práctica es posible y entiendo, es necesario. He estado hablando en distintos foros sobre este proyecto, y las respuestas y comentarios que he recibido han sido positivos.

Hemos tenido muchos casos de ministros que han necesitado de ayuda, y por necedad, por orgullo, o simplemente por temor, no han acudido a las personas claves que pueden tener las respuestas, o conocen donde hallar la solución a sus situaciones. Entiendo que el mentor no tiene la función de un "superhéroe," desplegando poderes sobre naturales para socorrer al ministro en necesidad. Los mentores son seres humanos, de carne y hueso, con sentimientos y situaciones propias, que se prestan para servir de ayuda a aquellos otros ministros que claman por ella. Sí, tenemos que entender que no podemos, de ninguna manera, iniciar ningún proyecto de mentoría sin que el mismo sea iniciado por la necesidad de algún ministro.

Tratar de ofrecer los servicios de mentoría como una iniciativa del mentor puede ocasionar conflicto entre los miembros del pastorado. El asunto no es que no seamos sensibles, sino que todo aquel que pide ayuda, es, por ende, la persona que inicia el proceso y quien abre las puertas para que el mentor entre con su ayuda. Así es que el primer paso del mentor es el de identificar a aquellos que necesitan ayuda. Luego diagnosticar el tipo de ayuda que se va a brindar. Tercero, hacer un acercamiento a su protegido, dándole las alternativas viables para alcanzar su meta. Y, finalmente, establecer el plan de ayuda, monitoreando constantemente el progreso de su protegido.

Así es que, con la ayuda de Dios, la unción y gracia del Espíritu Santo, y el conocimiento y experiencia que el Señor me ha permitido obtener, presento este proyecto.

¡A Dios sea la gloria!

Preguntas para reflexionar

1. Enumere 5 beneficios que la mentoría como ministerio de acompañamiento produce en el mentor y en el aprendiz.

Mentor	Aprendiz / discípulo
1).	1).
2).	2).
3).	3).
4).	4).
5).	5).

2. ¿Cuál personaje del Antiguo Testamento le hubiera gustado que fuera su mentor? ¿Por qué?
3. Cuáles son diferencias entre la mentoría como acompañamiento y el cuidado pastoral? ¿Cuáles son las similitudes?
4. Desarrolle y ejecute un plan de mentoría que refleje los tres modelos de intervención, (personal, bidireccional y grupal) y evalué los resultados con algún colega. ¿Cuáles fueron sus hallazgos?
5. Mencione tres razones como la mentoría como ministerio de acompañamiento beneficiará a las nuevas generaciones de lideres pentecostales.

Bibliografía

Barna, George y Dallas, Bill. *Master Leaders: Revealing Conversations with 30 Leadership Greats.* Nashville, TN: Tyndale Momentum, 2014.

Hawkins, Don. *Master Discipleship Today, Jesus's Prayer and Plan for Every Believer.* NE: Kregel Publications, 2019.

León Rodríguez, Miguel Ángel. *¿Cobertura, paternidad o mentoría espiritual?* 2020, Kindle Edition.

Malphurs, Aubrey y Mancini, Will. *Building Leaders, Blueprints for Developing Leadership at Every Level of Your Church.* Grand Rapids, MI: Baker Books, 2005.

Malphurs, Aubrey. *Being Leaders, The Nature of Authentic Christian Leadership.* Grand Rapids, MI: Baker Books, 2004.

Villafañe, Eldin. *Introducción al Pentecostalismo, Manda Fuego Señor.* Nashville, TN: Abingdon Press, 2012.

Woodward, Orrin. Life Leadership. *Cuestión de Mentoría: Objetivos, técnicas y herramientas para convertirse en un gran mentor.* Cary, NC: Obstacles Press, 2013, Kindle Edition.

Capítulo 4

Desafíos y principios de la predicación pentecostal contemporánea

Dr. Luis O. Rodríguez

El arte de la predicación es un reto que desafía las eras, costumbres, prácticas y escollos de los tiempos. Es un llamado inmaculable y precioso pero lleno de responsabilidades y oportunidades. El predicar la Palabra de Dios es el desafío primordial de la fe en Cristo. Los que lo hemos hecho por décadas atribuimos nuestra vocación al llamado de Dios y a la influencia directa y certera de nuestros antecesores. Desde Santiago Crane y *El sermón eficaz,* Cecilio Arrastía y su habilidad poética de pintar cuadros hermenéuticos al escudriñar el texto sagrado, Osvaldo Mottessi y su énfasis en la predicación misional, o las más recientes influencias homiléticas como las de Pablo Jiménez y su concienciación sobre la realidad posmoderna, hemos observado un nuevo panorama kerigmático en nuestras iglesias y comunidades latinas pentecostales.

Muchos de nosotros somos predicadores y predicadoras vocacionales debido a la mentoría e influencia de otro predicador. En lo particular, a mis tempranos trece años de edad un predicador poderoso marcó mi vida para siempre. De su sermón sólo recuerdo el estribillo, una frase que decía, "a mí me gusta Tomás".

Fue tan grande el impacto de este predicador cubano llamado Lázaro Santana[61] que mucho tiempo después decidí investigar por qué a este evangelista le gustaba Tomás. Descubrí que Tomás era como yo soy y que el predicador estaba en lo correcto. De modo que la creatividad interpretativa y homilética de este predicador despertó en mi dos cosas, el deseo de leer la Biblia con creatividad y de forma expositiva y la imperante necesidad y pasión de compartirla de igual forma.

Reconociendo esta influencia histórica me propongo a evaluar en primer lugar las nuevas tendencias y desafíos que afectan el contenido y la presentación kerigmática contemporánea. Como segunda intención reconozco la necesidad de resaltar principios que definen el quehacer de la predicación latina pentecostal con sus aciertos y desaciertos y con una mirada crítica y transformadora. Y, por supuesto el espacio para la reflexión objetiva finalizará esta presentación.

Estado de la predicación latina pentecostal

Esta centralización de las iglesias latinas pentecostales en la exposición bíblica ha sido parte de su existencia orgánica y de su naturaleza como comunidad adorante. La predicación en las comunidades de fe latinas, aún más allá del pentecostalismo clásico del siglo pasado, proviene de su religiosidad y valores de vida intrínsicamente bíblicos. Justo González y Pablo Jiménez en el libro *Manual de Homilética Hispana* ofrecen una razón para este énfasis, "Al igual que otros grupos minoritarios, el pueblo latino es muy religioso. Mientras la mayor parte de las denominaciones que sirven a la población de ascendencia inglesa y europea están declinando, las congregaciones

---

[61] Para conocer más sobre el ministerio y estilo de predicación del evangelista Lázaro Santana, puede accesar algunos videos en la página de YouTube bajo Lázaro Santana.

hispanas van en aumento, tanto en número como en feligresía"[62]. Junto a este despertar o modelar del crecimiento de la iglesia en términos numérico, Jiménez y González señalan también un crecimiento en teólogos y teólogas que surgen de este mover del Espíritu produciendo nueva literatura y nuevos pensamientos teológicos. De modo que el énfasis religioso de la comunidad latina ha creado un mover de predicadores, pensadores y escritores que aportan nuevas maneras de hacer teología y de proclamar lo que somos y creemos.

Nuestros predecesores predicadores pentecostales teologizaban y establecían posturas teológicas y marcaban un ser del movimiento pentecostal. No cabe duda de que el énfasis en una predicación moralista y en ocasiones escapista condujo a una reacción anticipada. Un vistazo a los púlpitos generales que nutren nuestros medios de comunicación hoy en día ofrece aspectos dignos de señalar y evaluar. En primer lugar, tal parece que los predicadores y predicadoras contemporáneos se desafilan de lo clásico y de las denominaciones tradicionales para formar su propio entorno eclesiástico que como dato peculiar culminan en muchas ocasiones siendo institucionalizados. En segundo lugar, su teología rompe con la tensión entre la escatología y la afirmación del presente centrándose más en el ahora de reino. Debido a esta última realidad del progresar, crecer financieramente y adquirir estatus toma un énfasis primordial abandonando en ocasiones la esperanza del porvenir escatológico por la riqueza del ahora y el presente.

Pensamiento Principal

Como herramienta del Espíritu, la predicación pentecostal contemporánea debe identificar su realidad contextual,

---

[62] Pablo Jiménez y Justo González, *Manual de Homilética Hispana* (Barcelona, España: CLIE, 2006), 10 -11.

sus nuevos modos y los retos que enfrenta. Predicar hoy con poder el evangelio de Jesucristo, en medio de una sociedad pluralista, individualista y egocéntrica es un desafío latente. Un vistazo al presente, particularmente a los desafíos de la predicación pentecostal y una evaluación correcta de los principios que matizan acertadamente nuestras maneras de exponer la fe, nos embarcarán en un rumbo seguro hacia pastos verdes en la fe de Cristo.

Algunas perspectivas importantes

1. Todos somos predicadores: Sacerdocio de todos los creyentes. La predicación no es asunto de unos sino de todos. El laicado participa en la obra de Dios junto con el clérigo.
2. La prioridad del contexto: ¿Cuál es la más apremiante necesidad? El contexto dicta el modo de exponer el mensaje con el fin de suplir las necesidades de una audiencia que vive realidades socioculturales particulares.
3. La predicación como encarnación: Más allá del púlpito la predicación es hacer presente la persona de Cristo a través de una proclamación centrada en Su obra redentora y cómo esta es poderosa en transformar y ofrecer esperanza de vida.
4. Fundamentos de la predicación: El predicador y el mensaje. Ojo a los modos, estilos, hermenéutica, estudio y lectura del texto sagrado. La predicación expositiva y bíblica que extrae el mensaje de su misma esencia. Comenzamos con el texto en el proceso hermenéutico a la luz de una audiencia particular en necesidad de esperanza y transformación.

¿Qué es predicar? Predicar es hablar de Dios y por Dios

La predicación es el medio escogido por Dios para difundir las buenas nuevas de salvación. Orlando Costas dice en su libro *Comunicando por medio de la predicación* que esta se desprende del hecho de que es la transmisión de un mensaje que se origina en Dios y se transmite por orden de Dios a otros" (p.26). En este sentido predicar es hablar de Dios. De modo que hablar de Dios y hablar en voz de Dios es el epicentro de la acción kerigmática. Somos portavoces del oráculo celestial y mensajeros del reino eterno. Dios emite el mensaje al portavoz y este lo difunde luego de procesarlo a través de su propia experiencia con Dios.

Predicar es un proceso humano

Predicar es también una actividad que envuelve la realidad y el todo del ser humano. Sus pasiones, inquietudes, ideas y perspectivas de la vida y el evangelio se entrelazan en la experiencia de la proclamación. Por un lado, la persona que desea predicar puede confiar en que el Espíritu Santo de Dios le guiará para ofrecer un mensaje inspirador que edifique la iglesia. Por otro lado, dicha persona sabe que preparar un sermón es una tarea ardua que requiere estudio, investigación, dedicación, pericia y práctica (Jiménez, 29). La predicación en este sentido es palabra humana.

Desafíos Contemporáneos

Primer Desafío: La tensión entre lo eternal y lo temporal

La predicación pentecostal se ha concentrado desde su génesis en el énfasis escatológico del reino venidero. Los predicadores clásicos pentecostales nos recordaban la necesidad de conceptualizar el reino de Dios. Los predicadores contemporáneos nos recuerdan que el reino está presente. En vista a la realidad moderna los mensajes pentecostales eran discursos morales que apuntaban al más allá, pero provocaron sin intención un escapismo social y un vacío teológico.

Como reacción tal vez a esta realidad hoy enfrentamos el reto del mensaje progresista que se aleja de la objetividad total y se acerca a la subjetividad y al sentimiento por encima de la razón. La predica pentecostal contemporánea es afectada por la realidad de la posmodernidad que invita a sentir por encima de ser o hacer. Esto provoca un énfasis en una predica pragmática donde con frecuencia el mensaje carece de fundamento bíblico o una hermenéutica seria. La visión de lo eternal que proclamamos debe fungir como el elemento conector para identificarnos y solidarizarnos con las demandas a veces insólitas de la vida.

Segundo desafío: La hermenéutica de la vida a la luz de la Biblia y la cultura

Leemos la cultura a través del texto sagrado o el texto sagrado a través de la cultura. El predicador y su mensaje son, sin lugar a duda, parte de una cultura cambiante y siempre desafiante. Los cambios tecnológicos, las realidades políticas, los cambios internos en la práctica de la fe y los retos generacionales influyen en la hermenéutica de nuestra realidad y acercamiento al texto. Estos cambios culturales y sociales han modificado la presentación del sermón tradicional. Pablo Jiménez propone en su libro *Predicación en el Siglo XXI* que debido a lo racionalista, abstracta y autoritaria de la predicación rudimentaria de los predicadores pentecostales clásicos, nuevos modelos narrativos han surgido. Estos modelos suelen a presentar cuadros del sermón más acomodados a la cultura actual.

No obstante la base no cambia, la Biblia interpreta la cultura y la discierne para poder penetrarla e influenciarla.

No obstante, el evadir la responsabilidad de discernir la cultura, los movimientos sociales, y el desarrollo humano, nos hacen dinosaurios culturales que corren el riesgo de desaparecer y tornarse inefectivos en la comunicación del evangelio. La cultura no es nuestra enemiga, es nuestro campo de trabajo misional y por ende requiere que el predicador se sumerja en el conocimiento de ella para entenderla y transformarla. En palabras de Orlando Costas "*hoy tenemos que ser más mundanos que nunca*". El teólogo alemán Karth Barth indicó, "todo ministro del evangelio carga la Biblia en su mano derecha y el periódico del día en la izquierda". La cultura escucha el mensaje de acuerdo con su lenguaje particular y responde de manera individual según su criterio actual. Esta realidad invita al predicador a ser creativo en la entrega del mensaje.

Tercer desafío: La ética misional de la predicación

La predicación misional, junto con el cuidado personal del predicador y principalmente de su mensaje enfocado en la misión, son requisitos de la predicación pentecostal. El desafío de la pureza del mensaje y su dirección misional determinará el enfoque de la comunidad de fe. Carlos Cardoza-Orlandi en el capítulo 5 del libro de *Introducción a la Misión* (AETH) dice: "la iglesia es objeto y sujeto de la misión de Dios". La iglesia es el medio y es en sí misma el fin del mensaje. La misión mantiene la ética de la proclamación del evangelio y previene al predicador de suplirle a la audiencia, en palabras de Cecilio Arrastía, "un masaje espiritual". El mantenimiento espiritual con frecuencia opaca el énfasis misional del mensaje Cristo-céntrico.

Este desafío nos debe impulsar a pensar y analizar nuestro enfoque homilético, ¿predico mantenimiento espiritual o cumplimiento de la misión? Toda exposición sermónica tiene como objetivo impulsar la misión y la causa del evangelio cuyo principal medio de difusión es la exposición kerigmática.

Cuarto desafío: La salud mental y la predicación

Existe una tensión profunda entre predicar fe, sanidad y poder, y predicar para sanar. Nuestras comunidades están plagadas de problemas mentales sin aparente solución. Un toque de fe puede cambiar toda condición pero y si no, ¿cuán sanadora es nuestra predicación? El mundo vive en confusión continúa y debemos evitar que los mensajes no se dirijan hacia la paz y la reconciliación mental. La precipitada y falsa esperanza de los predicadores que comercializan la fe abona al estado crítico de la salud mental aun en nuestras comunidades de fe. Una sociedad rápida, confusa y desentonada moralmente requiere una predicación sanadora. No hay fáciles respuestas ni rápidas soluciones a problemas complejos. Solamente un proceso de exposición al sí se puede en Cristo hará la diferencia.

La predicación pentecostal contemporánea debe resistir la tentación de ofertas espontáneas e irracionales que muy frecuentemente son expuestas por predicadores motivados por la fama y la fortuna que exprimen la inocencia de muchos. A esta problemática se le suma el desenfreno por descifrar los eventos del porvenir sin conciencia de cómo esto afecta la audiencia y la percepción pública de la iglesia. La inminente venida de Cristo nos llama a predicar mensajes que preparen y ajusten a nuestra audiencia a creer en el plan maestro del Padre para la humanidad y no incurrir en el intento infructífero de descifrar los misterios de Dios aludiendo a nuevas revelaciones personales.

Quinto desafío: La lucha de voluntades

Existe una tensión real, particularmente entre los predicadores pentecostales, en cuanto a predicar lo que el pueblo desea escuchar, lo que el predicador desea comunicar y lo que Dios espera que se comunique. Esta trilogía de voluntades demanda del predicador una percepción aguda que involucra su preparación personal tanto devocional como académica, una hermenéutica correcta de su entorno y una comunicación efectiva. El predicador se predica a sí mismo y le predica a su entorno lo que escucha de Dios en su propia alma.

Por tanto predicar en este sentido es entregar nuestra voluntad y someternos a la del Padre. Pablo exhorta a Timoteo en 2 Timoteo 4 a predicar la voluntad del Padre la cual ha sometido a obediencia su propia voluntad. Es mi sentir que en ocasiones erramos en discernir esa voluntad y creamos narrativas personales que nos alejan de la obediencia y pureza de una predica que alcanza las necesidades inminentes de la audiencia. Predicar es obedecer y comunicar la voluntad del que nos llamó a esta santa vocación. La voluntad humana es poderosa y ferviente, pero cuando se somete a la de Dios y entiende su propósito eterno es un el motor generador del fuego abrasador del evangelio.

Cuatro Principios de la predicación pentecostal

Primitiva	Pastoral	Profética	Participativa
La comunidad neotestamentaria nos puede enseñar modelos de predicación efectiva enfatizando áreas como la hermandad cristiana y la *fe práctica.*	La predicación es evangelizadora y busca como prioridad el discipulado. La predicación es viva, humana y bautizada por el amor de Dios.	Busca la transformación integral de la comunidad de fe identificando las necesidades de justicia y equidad en la comunidad.	La predicación pentecostal es puente entre la vida litúrgica de la comunidad de fe y la práctica de esa fe en el foro público.

Reflexión final

Habiendo evaluado algunos retos de la predicación latina pentecostal contemporánea podemos extraer algunos conceptos estratégicos:

1. La predicación efectiva es un desafío constante que requiere un vistazo profundo y consciente de los movimientos eclesio-teológicos que la moldean y la afectan positiva y negativamente.
2. El contexto cambia; el mensaje es inmutable. La prioridad de la predicación bíblica es imperante.
3. Los métodos no son el mensaje, pero juegan un rol preponderante en la exposición del mismo.
4. Las nuevas generaciones necesitan su espacio y libertad para crear avenidas de exposición a la luz de un mundo siempre cambiante.
5. No todo lo que se escucha o se ve a través de los medios de difusión social es teológicamente preciso. No predicamos para complacer sino para llenar el vacío que el pecado ha dejado en el ser humano.

¡Predica!

Te encarezco delante de Dios y del Señor Jesucristo, que juzgará a los vivos y a los muertos en su manifestación y en su reino, que prediques la palabra...
(2 Timoteo 4:2).

Preguntas de reflexión

1. Enumere tres desafíos que encuentra en la predicación pentecostal contemporánea. ¿Cómo estos afectan su área de servicio ministerial? ¿Ofrezca posibles soluciones?
2. ¿Cómo ha evolucionado la predicación pentecostal en las últimas décadas? ¿A qué se deben los cambios? Explique
3. ¿Cuáles mitos se deben aclarar con relación a la predicación pentecostal? (por ejemplo, "yo no soy predicador o predicadora")
4. ¿Cómo la aplicación de una sana hermenéutica desafía y beneficia el arte de predicar?
5. Aplique los cuatro principios de la predicación pentecostal (primitivista, pastoral, profética y participativa) a su contexto ministerial. ¿Cuál fue el impacto en su desempeño como predicador o predicadora?

Bibliografía

Arrastía, Cecilio. *Teoría y práctica de la predicación.* Nashville, TN: Caribe, 1993.

Cardoza-Orlandi, Carlos, *Una introducción a la misión.* Nashville, TN: AETH, 2010.

Jiménez, Pablo, *La predicación en el siglo XXI.* Barcelona, España: CLIE, 2009.

Jiménez, Pablo y Justo L. González, *Manuel de Homilética Hispana.* Barcelona, España: CLIE, 2006.

Mottesi, Osvaldo. *Predicación y misión una perspectiva pastoral.* Ciudad México, México.

Recursos en línea

López, Amos. *Predicación y contexto: apuntes desde américa latina,* consultado 9/6/23 https://blog.ubl.ac

Capítulo 5

Llamado, Vida y Ministerio del Líder Pentecostal[63]

Prof. José Alicea[64]

El propósito de este capítulo es explicar la integración necesaria de los diferentes aspectos que comprenden la experiencia del llamado al ministerio pentecostal. Llamado, vida y ministerio son parte integral del ejercicio del ministerio cristiano. Esa integración debe suscitar un ministerio satisfactorio y gratificante que llene las expectativas de la iglesia y la comunidad.

---

[63] A menos que se especifique lo contrario, todas las citas bíblicas han sido tomadas de la versión Reina Valera Contemporánea, Sociedades Bíblicas Unidas, 2009, 2011

[64] José Alicea, es ministro ordenado de la Iglesia de Dios (Cleveland, Tennessee). Empieza su función ministerial en su nativo país, Puerto Rico. Mas tarde se traslada a los Estados Unidos, en donde ha ejercido su ministerio como pastor, educador y conferencista en varias entidades teológicas y organizaciones de educación cristiana. Su labor de investigación ha sido en las áreas de Nuevo Testamento y teología bíblica y sistemática. Ha ofrecido cursos y conferencias por más de 30 años, en diversas ciudades de los Estados Unidos y Latinoamérica. Al presente es estudiante graduado del Seminario Teológico Gordon Conwell y Decano Académico de La Universidad de Liderazgo y Ministerio.

El Dios que llama

El punto de partida del servicio cristiano es el llamado. El llamado al ministerio es un momento crítico y preciso en donde claramente se define un antes y un después en la experiencia del servicio cristiano. Inicialmente, y a través del ministerio del Espíritu Santo, la persona es llamada a la salvación. En ese llamado a la salvación existe de forma inseparable un llamado al servicio. Es por tal razón que, como líderes pentecostales, tenemos una convicción innata de llamado al ministerio. Aparte del llamado a la salvación, se puede decir que existen otros tres tipos de llamado al servicio: (1) Un llamado universal al servicio cristiano para todos los creyentes. Este llamado está relacionado con el sacerdocio universal de los santos. (2) Un llamado general de algunos creyentes al liderazgo ministerial, a veces remunerado y (3) un llamado específico a una asignación ministerial única o a una posición ministerial particular.[65] La persona está colocada en una situación bilateral en donde Dios inicia la acción de selección, pero es el ser humano quien debe responder positivamente a la invitación del Señor a servir. Alguien dijo: "Sin Dios, el hombre no puede, y sin el hombre, Dios no lo hará".[66] Responder al Dios que llama es un evento afín al llamado a salvación. El llamado al ministerio no sólo es consecuencia del llamado de Cristo sino parte intrínseca de él.[67]

---

[65] Jeff Iorg, *Is God Calling Me?* (B&H Books, 2008), CHAPTER 2. (Traducción del autor)

[66] Saint Augustine. AZQuotes.com, Wind and Fly LTD, 2023. https://www.azquotes.com/quote/1403569, consultado el 24 de noviembre de 2023. (Traducción del autor)

[67] Dave Harvey, *¿Soy Llamado?* (B&H Español, 2018)

Cuando Dios llama añade valor y propósito

Al decir que se añade valor, lo que se implica es que, a través de las personas llamadas, se reflejan las bondades de aquel de quien procede el llamado. Cuando en el libro de Éxodo capítulo 7 versículo 1, Dios le dice a Moisés: "Mira, ante el faraón, tú serás como si fuera yo mismo", le está indicando el poderoso lugar al cual se le estaba comisionando. En virtud del llamado recibido de parte de Dios, Moisés se convierte en una figura sacramental, esto es que, aunque era un ser falible y aun débil, en el ejercicio de su ministerio él representaba la voluntad divina. El llamado al ministerio no hace a la persona superior a las demás, pero sí cambia su forma de encarar la vida. Podemos decir que a quienes Dios convoca para el santo ministerio comienzan a ver la vida diferente, entienden que son propiedad de Dios, tienen una visión nueva del futuro y pasan tiempo de calidad con Dios. Saben que han sido llamados a vivir un compromiso profundo, un nuevo estilo de vida.[68]

Naturaleza y carácter del llamado

¿Como saber que Dios me ha llamado? La mejor manera de saberlo es intimar con Dios. De alguna manera, Dios hará saber al individuo que es él quien le está llamando. Aunque muchas personas con experiencia pueden ver las señales de liderazgo en otros, el único que puede corroborar el llamado al ministerio es Dios Espíritu Santo. Leamos en Hechos 13:1-2 "En la iglesia de Antioquía eran profetas y maestros Bernabé y Simón, al que llamaban Niger; Lucio de Cirene; Manaén, que se había criado con el tetrarca Herodes, y Saulo. Como ellos servían al Señor y

---

[68] Carlos Scott, *Documentos de COMIBAM - Guía práctica para el proceso de misiones en la iglesia local* (Bellingham, Washington: Software Bíblico Logos, 2006), 125.

ayunaban siempre, el Espíritu Santo dijo: «Apártenme a Bernabé y a Saulo, porque los he llamado para un importante trabajo". Es evidente en este pasaje que Dios llama al ministerio a personas en particular.

Hay unos indicativos que son comunes en las personas llamadas al ministerio cristiano. Desde el punto de vista pentecostal, son características que, evidentemente, muestran que una persona tiene vocación ministerial. Esos indicativos son: (1) Indicativo experiencial. Las personas llamadas al ministerio de alguna manera han tenido una experiencia sobrenatural a través de la cual cobran conciencia de su llamado. Esa experiencia puede ser privada o pública, pero al final será el referente que la persona tendrá como evidencia que Dios les ha llamado. (2) Indicativo de servir o diaconado. La palabra diácono (διάκονος) significa servidor, ministro, diácono.[69] Aunque hay varios términos para referirse al ministerio, el término servidor es muy apropiado, ya que las personas llamadas al ministerio son servidores por naturaleza. (3) Indicativo pneumatológico. Las personas llamadas al ministerio reflejan un carisma espiritual a través de manifestaciones constatables algún don espiritual. Veamos Hechos 4: 13 y 14: "Al ver el valor de Pedro y de Juan, y como sabían que ellos eran gente del pueblo y sin mucha preparación, se maravillaron al reconocer que habían estado con Jesús. *Y al ver junto a ellos al hombre que había sido sanado, no pudieron decir nada en su contra"*, (Énfasis añadido). (4) Indicativo de espiritualidad. Las personas llamadas al ministerio tienen disciplina espiritual pues entienden que el trabajo ministerial requiere sacar tiempo a solas para orar, estudiar y reflexionar.[70] Los apóstoles le dijeron a la iglesia: "Así

---

[69] Pedro Ortiz V., *Concordancia manual y diccionario griego-español del Nuevo Testamento* (Miami: Sociedades Bíblicos Unidas, 2000).

[70] Para un análisis más completo acerca de las disciplinas espirituales pentecostales sugiero leer el capítulo 2 bajo el tema: "Las

nosotros podremos continuar orando y proclamando la palabra".[71] (5) Indicativo contextual. Las personas llamadas al ministerio triunfan en el contexto en el cual desarrollan su ministerio sin importar cuan inhóspito haya sido para otros. Estas personas aman el lugar en donde sirven y el Espíritu les hace fructificar en él.

El llamado y la gracia de Dios

El llamado de Dios al hombre conlleva la gracia necesaria para la piedad necesaria".[72] El llamado al ministerio es una acción de la Gracia de Dios. Los requerimientos para desarrollar el ministerio son muy exigentes y demandan un grado de madurez personal y espiritual. Realísticamente hablando, la única manera de cumplir efectivamente con el llamado es dependiendo totalmente de la Gracia de Dios. Es con la fuerzas de él y no con las humanas con las que se hace el trabajo. Dave Harvey escribe: "Es el descubrimiento maravilloso de la gracia preveniente".[73] Podemos decir que antes de confirmar un llamado, las personas exhiben una características que los identifican y singularizan de los demás creyentes. Otra vez Dave Harvey acierta con el siguiente comentario:

> En 1 Timoteo 3 y Tito 1, vemos evidencia de que la obra de Dios precede cualquier llamado. Examina la carta de Pablo cuando usa el tiempo presente «es necesario» en 1 Timoteo 3:2. Es necesario que el anciano sea irreprensible, sobrio, prudente, etc. Pablo no está enumerando objetivos de carácter

---

Disciplinas Espirituales" del libro Perspectivas Teológicas Pentecostales Tomo II: El Legado Del Avivamiento en la Calle Azusa 117 Años Después, editado por Wilfredo Estrada Adorno, Editorial UNILIMI, 2023. En ese capítulo discuto de forma concisa el tema de las disciplinas espirituales desde la perspectiva pentecostal.

[71] Hechos 6:4

[72] Dave Harvey, *¿Soy Llamado?*

[73] Dave Harvey, *¿Soy llamado?*

> por cumplir. Está hablando de cualidades presentes. Son prerrequisitos para los ancianos, no resultados futuros. Entonces, ¿qué significa? Precisamente esto: Pablo dice que hay gracia que obra en ciertos hombres y produce una vida con determinadas características. Timoteo reconocería a aquellos hombres llamados porque la gracia ya estaba obrando para crear hombres piadosos.[74]

Un detalle de suma importancia es la integración necesaria de los diferentes aspectos que comprenden la vida del llamado al ministerio pentecostal. El llamado, vida y ministerio son parte integral de la existencia ministerial. Esa integración debe suscitar un ministerio satisfactorio y relevante que llene las expectativas de la iglesia y la comunidad. Es importante entender que el llamado al ministerio resulta en una experiencia multiforme que define la existencia de aquellos que responden.

El llamado, como todas la acciones del Espíritu, conlleva un proceso de integración de las diferentes dimensiones que comprenden la vida de la persona que ha escogido responder al Señor. Toda persona llamada al servicio cristiano debe hacer un sano balance entre las actividades que realiza y roles que desempeña. *Llamado, vida* y *ministerio* son tres principios sobre los que descansan la efectividad de líder pentecostal. Estos principios están a su vez encapsulados dentro de la presencia y obra de la persona del Espíritu Santo quien actúa en la cotidianidad del líder generando energía y creatividad. Cualquier desbalance en una de estas tres áreas creará una tensión y sobrecarga en las otras dos áreas que terminará fatigando al líder cristiano. El trabajo del pastor y del líder pentecostal en general es sumamente exigente y demanda que haya una estabilidad y un balance entre las dimensiones del *llamado, vida* y *ministerio*.

---

[74] Dave Harvey, *¿Soy llamado?*

Tristemente, muchos líderes sufren de "quemazón" ("burn-out") con consecuencias espirituales, emocionales, físicas y familiares devastadoras. En el contexto del servicio cristiano "burn-out", decaimiento o "quemarse" es una condición que aflige a todo creyente que trate de servir a Dios en la energía de la carne.[75] El ministerio debe ser motivo de alegría y gozo para las personas llamadas y sus allegados. No es la voluntad de Dios consumir las cosas al usarlas. El libro de Éxodo presenta un cuadro claro de esta realidad: "El ángel del Señor se le apareció [a Moisés] en medio de una zarza envuelta en fuego. Moisés miró, y vio que la zarza ardía en el fuego, *pero no se consumía*"[76] (énfasis añadido). Dios puede usar a las personas y a las cosas sin consumirlas. De hecho, la Escritura señala que Dios reaviva las fuerzas de las personas que no poseen ninguna. Así lo dice el profeta Isaías:

> Él da esfuerzo al cansado, y multiplica las fuerzas al que no tiene ningunas. Los muchachos se fatigan y se cansan, los jóvenes flaquean y caen; pero los que esperan a Jehová tendrán nuevas fuerzas; levantarán alas como las águilas; correrán, y no se cansarán; caminarán, y no se fatigará (Isaías 40.29- 31).

En el proceso de trabajar en el ministerio se adquiere la experiencia necesaria para entender mejor los requerimientos de la tarea. Por otro lado, contamos con el apoyo del Espíritu Santo y de aquellos a quienes él mismo puso para que se cumpla con las expectativas de la congregación y la comunidad. Existe la buena noticia que el servicio al Señor no consume a las personas, sino que las mantiene actuando efectivamente hasta el final de la encomienda.

---

[75] G. Ernesto Johnson, *Liderazgo Desde la Cruz: Principios y Personajes Del liderazgo bíblico* (Edinburg, TX: Editorial Rio Grande, 2011), 22.

[76] Éxodo 3:2

Con el llamado al ministerio, en la persona se encarna la función de portavoz del Reino de Dios en la tierra. La iglesia es una comunidad de personas llamadas para la salvación, así como para el servicio. En la carta a Efesios podemos encontrar la correlación que existente entre el llamado de la iglesia y el llamado al ministerio. Este pasaje conecta al ministerio de la iglesia con el mensaje del evangelio y sus ministros. Los empodera, define y da propósito a sus respectivas funciones ministeriales.

> "Y él mismo constituyó a unos, apóstoles; a otros, profetas; a otros, evangelistas; a otros, pastores y maestros, a fin de perfeccionar a los santos para la obra del ministerio, para la edificación del cuerpo de Cristo, hasta que todos lleguemos a estar unidos por la fe y el conocimiento del Hijo de Dios; hasta que lleguemos a ser un hombre perfecto, a la medida de la estatura de la plenitud de Cristo".[77]

La Iglesia es la comunidad redimida, que tiene una función apostólica. La Iglesia es la comunidad santa, que enseña al mundo. La Iglesia es la comunidad carismática que tiene una función profética. La Iglesia es una comunidad sanadora y terapéutica que tiene una función pastoral. La Iglesia es una comunidad misionera que evangeliza al mundo por cuanto Cristo viene.[78] La iglesia es una comunidad con un ministerio integral que sirve a todas las áreas proclamando el mensaje desde la perspectiva del evangelio completo.

Dios hizo la provisión para la salvación de la humanidad. Él proveyó el Redentor, el mensaje de

---

[77] Efesios 4:11–13.

[78] Kenneth J. Archer, *"The Fivefold Gospel and the Mission of the Church Ecclesiastical Implications and Opportunities"* in *John Christopher, Thomas ed. Toward a Pentecostal Ecclesiology: The Church and the Fivefold Gospel* (Cleveland: CPT Press, 2010), 40. (Traducción del autor).

salvación (la buena noticia o evangelio -εὐαγγέλιον)[79] y ahora toca a los llamados al ministerio señalar el camino de la voluntad divina a través de la proclamación. El apóstol Pablo acertadamente señala que "Todo esto proviene de Dios, quien nos reconcilió consigo mismo a través de Cristo y nos dio el ministerio de la reconciliación. Esto quiere decir que, en Cristo, Dios estaba reconciliando al mundo consigo mismo, sin tomarles en cuenta sus pecados, y que a nosotros nos encargó el mensaje de la reconciliación".[80] Dicho sucintamente, Dios decidió que fueran los creyentes en el evangelio quienes anunciaran las buenas nuevas de salvación. Ninguna otra criatura en la creación ha experimentado la redención que han experimentado los humanos.[81] Sólo los redimidos pueden hablar de redención. Esa es la razón de ser del ministerio cristiano.

La crisis del llamado

Una de las cosas que no podemos dejar de mirar es el hecho que el llamado al ministerio produce una crisis. En uno de sus sentidos la palabra crisis implica "un cambio profundo y de consecuencias importantes en un proceso o una situación, o de la manera en que estos son apreciados".[82] No hay duda de que el participar del

---

[79] Pedro Ortiz V. *Concordancia manual y diccionario Griego-Español del Nuevo Testamento* (Miami: Sociedades Bíblicas Unidas, 2000).

[80] 2 Corintios 5:18-19.

[81] 1 Pedro 1:12: "Dios les hizo saber que su tarea no era para ellos mismos, sino para nosotros, y que sólo administraban lo que a ustedes ahora les anuncian aquellos que les han predicado el evangelio por el Espíritu Santo enviado del cielo. Éstas son cosas que aun los ángeles quisieran contemplar". (Énfasis añadido)

[82] REAL ACADEMIA ESPAÑOLA: *Diccionario de la lengua española*, 23.ª ed., [versión 23.6 en línea]. <https://dle.rae.es> [19 de noviembre 2023].

llamado al ministerio es una experiencia sobrecogedora que trasciende las capacidades humanas. Es una encomienda demasiado grande para los mortales. Yo hablo de crisis en el sentido de lo profundo del evento, de lo violento que resulta encontrarse ante semejante majestad e importante tarea y que Dios cuente con los humanos. Por ejemplo, en el caso del profeta Isaías, éste dice que él vio al Señor sentado sobre un trono alto y excelso. Y declara: Entonces dije: "¡Ay de mí! que soy muerto; porque siendo hombre inmundo de labios, y habitando en medio de pueblo que tiene labios inmundos, han visto mis ojos al Rey, Jehová de los ejércitos".[83]

Otro caso es el de Simón Pedro. Su reacción ante del milagro de la pesca milagrosa fue caer de rodillas ante Jesús y admitir: "Señor, ¡apártate de mí, porque soy un pecador! Y es que tanto él como todos sus compañeros estaban pasmados por la pesca que habían hecho".[84] Pedro era un pescador profesional cuando Jesús le indicó que desde momento en adelante sería un pescador de personas para el reino de Dios. En el caso del apóstol Pablo (Saulo) este espontáneamente dijo: "Señor que quieres que yo haga".[85] ¿Se puede imaginar lo desconcertado que Saulo estaba frente a aquella experiencia? Estas y otras evidencias textuales reafirman que el llamado produce una crisis en la cual se tiene que enfrentar la fragilidad humana, pero amparados en la gracia divina las personas pueden realizar la encomienda.

El peligro del temor

Otra cosa que puede suceder cuando se responde al llamado es el surgimiento de un sentimiento temor. Lo desconocido de la experiencia, los retos, o la falta de

---

[83] Isaías 6:5
[84] Lucas 5:8 - 9
[85] Hechos 9:6

conocimiento pueden reflejarse a través de un estado de temor. La historia del llamado de Gedeón en el libro de Jueces capítulo 6 es un buen ejemplo de cómo esos temores afectan a las personas llamadas al servicio cristiano. La historia dice en el verso 12 del capítulo 6: "Y el ángel del Señor se le apareció y le dijo: El Señor está contigo, porque eres un hombre valiente y aguerrido". Sorprendentemente, y a pesar de tal declaración, cuando a Gedeón se da la encomienda de derribar un altar pagano en su pueblo, este "lo hizo de noche, pues temía hacerlo de día porque lo podían ver la familia de su padre y la gente de la ciudad" (verso 27). Se puede ver que hay un sentimiento de temor, pero el Señor quita todos esos temores y empodera a quienes están dispuestos a aceptar la invitación al servicio.

La indiferencia al llamado

Hay personas a quienes el Señor llama y se hacen indiferentes. La razones para esa indiferencia al llamado divino pueden ser varias, pero yo quisiera mencionar dos: (1) la falta de confianza, (2) la falta de experiencia, o ambas. Responder positivamente al llamado que Jesús hace para seguirle es un acto de confianza en él. Esencialmente, lo que se pide a la persona llamada es que confíe lo suficiente en Jesús como para invertir toda la vida en su servicio. Responder el llamado a salvación arregla la relación con Dios. Responder el llamado al servicio pone al creyente en contacto con el prójimo para que este arregle su relación con Dios. Hay que estar dispuesto a confiar lo suficiente como para abandonar todo aquello que hasta ese momento se ha considerado importante. El llamamiento del apóstol Mateo, conocido también como Leví, es un claro ejemplo de lo que quiero decir: "Después de esto, Jesús salió y vio a un cobrador de impuestos llamado Leví, que estaba sentado donde se cobraban los impuestos. Le dijo: «Sígueme». Leví se levantó y, dejándolo todo, lo siguió".[86]

Dios, también, provee mentores para las personas llamadas al ministerio. En ocasiones la falta de experiencia no permite reconocer que Dios ha separado para una tarea en particular. Es común que el Señor seleccione un mentor que oriente con su sabiduría y experiencia a la persona que se está iniciando en el ministerio cristiano. El caso del llamado del profeta Samuel es representativo de lo antes dicho.[87] Algunas personas al igual que el joven Samuel desconocen lo que es el llamado divino y por lo tanto necesitan a alguien quien les oriente. Con esto no se quiere eludir la obra del Espíritu Santo, al contrario, es el mismo Espíritu quien escoge a los mentores de los que son llamados al ministerio. La Biblia ofrece amplia información sobre la relación entre mentores y aprendices. Algunos ejemplos son Moisés y Josué, Elías y Eliseo, Bernabé y Pablo, Priscila con Aquila y Apolos.

El llamado al ministerio y la verificación de la iglesia

En las Santas Escrituras encontramos una fuerte relación entre el llamado al ministerio y la verificación del mismo a la iglesia. Dios es quien da el ministerio, pero es la iglesia quien lo reconoce, valida y ratifica. Algunas personas no le dan valor a las credenciales ministeriales que otorgan las denominaciones eclesiásticas, pero esa es una de las manera en que la iglesia confirma el llamado ministerial.

---

[86] Lucas 5:27 - 28

[87] 1 Samuel 3: 7 al 9 "En aquel tiempo, Samuel aún no conocía al Señor, ni se le había revelado su palabra. Y el Señor llamó por tercera vez a Samuel, y él se levantó y fue a ver a Elí, y le dijo: «Aquí estoy. ¿Para qué me has llamado?». Con esto, Elí entendió que el Señor había llamado al joven, así que le dijo a Samuel: «Ve y acuéstate. Y si vuelves a escuchar que te llaman, dirás: «Habla, Señor, que tu siervo escucha»». Y Samuel fue y se acostó".

Tener credenciales es un paso muy importante, pero no lo es todo. Las credenciales ministeriales no son la única manera con la cual se verifica el llamado al ministerio. También, se debe incluir un componente pneumatológico en donde el Espíritu Santo verifica el llamado delante de la iglesia. El apóstol Pablo expresó a Timoteo: "No descuides el don que hay en ti, y que recibiste mediante profecía, cuando se te impusieron las manos del presbiterio" (1 Timoteo 4:14); y "Por eso te aconsejo que avives el fuego del don de Dios, que por la imposición de mis manos está en ti" (2 de Timoteo 1:6). Otros pasajes interesantes del Nuevo Testamento en los cuales el Espíritu Santo le confirma a la iglesia el llamado al ministerio de una persona son:

> Saulo de Tarso: "Y el Señor le dijo: «Ve allá, porque él es para mí un instrumento escogido. Él va a llevar mi nombre a las naciones, a los reyes y a los hijos de Israel. Yo le voy a mostrar todo lo que tiene que sufrir por causa de mi nombre». Ananías fue y, una vez dentro de la casa, le impuso las manos y le dijo: «Hermano Saulo, el Señor Jesús, que se te apareció en el camino por donde venías, me ha enviado para que recobres la vista y seas lleno del Espíritu Santo»". (Hechos 9:15 al 17).
>
> Bernabé y Saulo: "Como ellos servían al Señor y ayunaban siempre, el Espíritu Santo dijo: «Apártenme a Bernabé y a Saulo, porque los he llamado para un importante trabajo». Y así, después de que todos ayunaron y oraron, les impusieron las manos y los despidieron". (Hechos 13:2 y 3)

Aceptando con humildad la voluntad de Dios

Llegamos entonces a la aceptación humilde. Aunque no es el fin del proceso de responder al llamado, la aceptación humilde es el momento donde la persona deja de ser indiferente o de ponerle excusas y señales a Dios para moverse dentro del plan que Dios ha diseñado para su llamado en particular. Ya en este punto la persona tiene una convicción absoluta que la voluntad de Dios es que se dedique al pleno ministerio sin reservas. Aunque no haya recibido las respuestas a todas sus preguntas, la persona está consciente que ha sido capturado para desarrollar la soberana vocación. En palabras del profeta Jeremías quiere decir lo siguiente:

> Tú, Señor, me sedujiste, y yo me dejé seducir. Fuiste más fuerte que yo, y me venciste. Todos los días se me ofende; todo el mundo se burla de mí. Cada vez que hablo, levanto la voz y grito «¡Violencia! ¡Destrucción!». No hay día, Señor, en que tu palabra no sea para mí motivo de afrenta y de escarnio. Me había propuesto no pensar más en ti, ni hablar más en tu nombre, ¡pero en mi corazón se prendía un fuego ardiente que me calaba hasta los huesos! Traté de soportarlo, pero no pude.[88]

Todo lo que quiere hacer la persona que llega a la aceptación humilde es la voluntad de Dios. Ya ha sido quebrantada y sobran las excusas. "Dondequiera que estés, está allí por entero. Vive hasta la cumbre de toda situación de la cual estás convencido de que es la voluntad de Dios".[89] La aceptación humilde más que una obligación es una respuesta de amor. Es el momento en el cual las palabras de Jesús resuenan como un eco: "Si me amas apacienta mis ovejas".[90] Es mediante la aceptación humilde que se entrega toda ambición personal y en su lugar se coloca la voluntad de Dios. Aceptar el llamado divino es una respuesta agradecida por el acto de Dios al salvarnos. Es una decisión que impacta todos los aspectos

---

[88] Jeremías 20:7 - 9

[89] Charles Swindoll, *Más de 1001 ilustraciones y citas de Swindoll* (Grupo Nelson, 2012), CONSAGRACIÓN

[90] Juan 21:17

de la vida del líder y ministro y de muchas maneras la vida de sus seres queridos.

Componentes de la vida de la persona llamada

La vida de una persona llamada al ministerio es una vida sencilla pero no simple. En cierto sentido es una vida predecible, pero no menos excitante. ¿Cuáles son esas áreas que toda persona llamada al ministerio debe prestar atención? Hay que recordar estamos hablando del *llamado, vida* y *ministerio* del líder y ministro pentecostal. Hay unos elementos que son parte y deben ser debidamente considerados.

En primera instancia se debe mencionar la espiritualidad. El llamado crea una sensibilidad espiritual muy particular. En virtud de la función ministerial, las personas llamadas al ministerio deben estar conscientes de la importancia de la formación espiritual. Se puede pasar días y noches desarrollando planes, estrategias y actividades, pero si la relación con Dios no es apropiada tanto esfuerzo será inútil. El ministro es un proclamador de vida por cuanto el evangelio es poder para salvación, por tanto, "estar vivo en Cristo es en sí mismo una cuestión espiritual (ver Juan 3). Por tanto, la vida en Cristo implica esencialmente espiritualidad".[91] Las personas llamadas al ministerio deberán estar conscientes que deben tener una espiritualidad que unifique todas las dimensiones del ser integral. Según el teólogo Dallas Willard estas dimensiones son: (1) Pensamiento (imágenes, conceptos, juicios, conclusiones). (2) Sentimiento (sensación, emoción). (3) Elección (voluntad, decisión, carácter). (4) Cuerpo (acción, interacción con el mundo físico). (5) Contexto social (relaciones personales y

---

[91] Dallas Willard "*La Gran Omisión, Recuperando las enseñanzas esenciales de Jesús en el discipulado*" (Nashville: Harper Collins Español, 2015), 45.

estructurales con los demás). (6) Alma (el factor que integra todos los elementos mencionados para formar una vida).[92]

El apóstol Pablo escribe que somos colaboradores y administradores de los misterios (μυστήριον: designio, secreto)[93] de Dios. Lo que el Señor quiere que las demás personas escuchen en su situación particular, primero lo ilumina en la mente del líder, ministro o predicador. Así que el llamado requiere una conciencia, penetración y sensibilidad espiritual aguda. También, tiene que haber espiritualidad, una conciencia clara, discernimiento de lo sagrado y un sentido del tiempo que hay que pasar delante de la presencia del Señor. La persona llamada debe entrenar su oído para escuchar la auténtica voz de Dios entre muchas voces parecidas. La única manera de poder identificar la voz de Dios entre las demás voces es escuchándolo con frecuencia, por lo tanto, una espiritualidad sana es imprescindible.

Otro de los componentes del llamado al ministerio es que tiene que haber prioridades claras. Sin duda alguna, Dios tiene que ser primero. Aunque más tarde, bajo el tema de integración de roles se volverá a discutir el tema de las prioridades, en este párrafo sólo lo discutiremos desde la perspectiva de la mayordomía: tiempo, talento y de tesoro. La Biblia dice que donde ustedes tengan su tesoro, allí también estará su corazón.[94] La Santa Palabra del Señor es muy específica al decir que no se pueden servir a dos señores, así que el llamado requiere tener

---

[92] Matthew C. Williams, «*Presentación de la Colección Teológica Contemporánea*», *en Renueva tu Corazón: Sé cómo Cristo*, ed. Nelson Araujo Ozuna, Anabel Fernández Ortiz, y Dorcas González Bataller, trans. Pedro L. Gómez Flores, Colección Teológica Contemporánea (Viladecavalls, Barcelona: Editorial Clie, 2004), 43.

[93] Pedro Ortiz V., *Concordancia manual y diccionario Griego-Español del Nuevo Testamento* (Miami: Sociedades Bíblicas Unidas, 2000).

[94] Lucas 12:34

prioridades muy definidas. El llamado impone una idea clara del "Dios a quien sirvo y pertenezco".[95] Dios no quiere que las personas llamadas al ministerio sean procrastinadoras o adictos al trabajo, sino que pongan todo lo *primero* en su debido lugar.

Los retos serán parte inseparable de la vida consagrada al servicio. En lenguaje figurado siempre quedará un valle y una colina más que cruzar. Hay que enfrentar los retos que el llamado al ministerio impone con valentía y sabiduría. Dios es un gran dador de bendiciones, pero también es un gran *escondedor* de bendiciones.[96] En un análisis de Mateo 7:7 encontramos una progresión en la intensidad y el esfuerzo que Jesús requiere de sus seguidores al enfrentar los retos. Hay situaciones en las cuales solo hace falta un esfuerzo mínimo para lograr la victoria, con pedir es suficiente. Hay otras que requieren ser enfrentadas con claridad e intencionalidad. Sin embargo, al líder llamado, le llegarán retos que demandarán insistencia, pasión y enfoque absoluto. La sugerencia de Jesús para enfrentar los retos es "Pidan, y se les dará, busquen, y encontrarán, llamen, y se les abrirá", o sea, hay que insistir.

El llamado también nos enfrenta y enseña a manejar el fracaso. Se pudiera pensar que hay un plan y propósito cuando las cosas no salen como se ha esperado. Los fracasos y reveses en el ministerio tienen un propósito didáctico. En el capítulo 17 de los Hechos de los Apóstoles, Pablo llega a Atenas, se da cuenta de lo duro que será predicar el evangelio a los educados ciudadanos atenienses.[97] Es intrigante cómo un gran predicador como

---

[95] Hechos 27:23

[96] Mateo 13:44 "Además, el reino de los cielos es semejante a un tesoro escondido en un campo. Cuando alguien encuentra el tesoro, lo esconde de nuevo y, muy feliz, va y vende todo lo que tiene, y compra ese campo".

[97] Simon J. Kistemaker, *Comentario al Nuevo Testamento: Hechos* (Grand Rapids, MI: Libros Desafío, 2007), 667.

Pablo no tuvo el éxito esperado en la gran ciudad griega de Atenas.

> Entonces lo tomaron, lo llevaron al Areópago y le dijeron: «¿Nos puedes explicar qué es esta nueva enseñanza de la que hablas? Porque esto suena extraño en nuestros oídos. Nos gustaría saber qué significa todo esto. (versos 19 y 20)
> Cuando los allí presentes oyeron hablar de la resurrección de los muertos, unos se burlaban, y otros decían: «Ya te oiremos hablar de esto en otra ocasión». Entonces Pablo se retiró de en medio de ellos; pero algunos le creyeron y se unieron a él. Entre ellos estaba Dionisio, que era miembro del areópago, una mujer llamada Dámaris, y otros más. Después de esto, Pablo salió de Atenas y se fue a Corinto. (versos 32 al 34; capitulo 18:1)

El pasaje anterior describe el efecto que aún para los ministros más expertos puede tener un fracaso en el desempeño en el púlpito. Una mirada más precisa al verso indica que aun cuando no logró el éxito esperado, en Atenas quedó sembrada una semilla. Después de la situación en Atenas, Pablo describe su llegada a la ciudad de Corinto con las siguientes palabras: "Estuve entre ustedes con tanta debilidad, que temblaba yo de miedo".[98] Es muy probable que la situación en Atenas produjo a Pablo un sentido de vulnerabilidad y tristeza interna que a su vez lo ayudó a manejar su éxito en la cosmopolita ciudad griega de Corinto.

Toda persona que responde al llamado divino tendrá que aprender a enfrentar las situaciones incómodas y hasta reveses que la vida ministerial impone. La sabiduría consiste en poderlas manejar. El fracaso puede ser posible, pero no es permanente. Éxito y fracaso son posibles en el ministerio, el no saber manejar el fracaso es tan destructivo como no saber manejar el éxito. La razón

[98] 1 de Corintios 2:3

de este peligro es que tanto el fracaso como el éxito no manejados adecuadamente pueden producir una falsa identidad en la persona.

La actitud asumida es bien importante. La pregunta más trascendental es: ¿Señor que puedo aprender a través de esta situación incómoda? En ese respecto identificar las enseñanzas que un revés puede impartir, va a beneficiar el ministerio propio, así como el de los demás. El fracaso, también, nutre la experiencia. Se cuenta que, en el proceso de inventar la bombilla incandescente, Tomas Edison realizó más de mil intentos antes de lograrlo. Un discípulo suyo le preguntó el por qué persistía, si tras más de mil intentos no había conseguido más que fracasos, Edison, respondió: "No son fracasos, he conseguido saber mil formas de cómo no se debe hacer una bombilla".[99] Babe Ruth bateó un total de 1,330 veces, pero solamente conectó 714 cuadrangulares .[100] Albert Einstein le escribió a un colega suyo: "El fracaso y las privaciones son los mejores educadores y purificadores".[101] Aunque estos pensadores son muy inspiradores, la mayor motivación para enfrentar el fracaso se desprende de la pluma del apóstol Pablo quien escribió inspirado por el Espíritu Santo: "Ahora bien, sabemos que Dios dispone todas las cosas para el bien de los que lo aman, es decir, de los que él ha llamado de acuerdo a su propósito".[102] El fracaso desde la perspectiva de Dios no es otra cosa que un peldaño hacia la escalera del éxito en la vida ministerial.

---

[99]Thomas Edison: Historia de un fracaso. 11/07/2016 13:22 Dora de Teresa https://management.emprenemjunts.es/?op=8&n=12648 (11/19/2023)

[100] June Hunt, *100 Claves Bíblicas para Consejería*, vol. 47 (Dallas, TX: Esperanza para el corazón, 1990–2011), 10.

[101] Alice Calaprice, *Albert Einstein. El libro definitivo de citas* (Plataforma, 2016).

[102] Romanos 8:28

Las personas llamadas al servicio cristiano deben tener metas claras. Podemos decir que el llamado al ministerio define un destino, con la salvedad que tanto el viaje como la meta son parte del destino mismo. El filósofo estoico Lucio Anneo Séneca dijo: "Cuando un hombre no sabe a qué puerto se dirige, ningún viento es el adecuado".[103] Muchas personas responden vagamente al llamado divino, debido a que no han clarificado sus metas. Se debe ser especifico con relación a las metas que como ministros llamados al servicio se tienen. Hay seis razones por las cuales las metas claras benefician el ministerio: (1) orientan, (2) comprometen, (3) maduran, (4) dignifican, (5) estimulan, (6) fundamentan. La visión de un ministro del evangelio se refleja mediante las metas que orientan su jornada.

El último componente que debe estar presente en la persona del llamado al ministerio es la fidelidad. El apóstol Pablo escribe en 1 de Corintios 4:2: "Ahora bien, de los administradores (οἰκονόμος) se espera que demuestren ser dignos de confianza (πιστός)". En sus raíces etimológicas la palabra griega πιστος (pistós) se traduce "fiel" 55 veces en el NT. Mientras que su palabra hermana, πιστις (pistis), que generalmente se traduce "fe", con frecuencia también significa fidelidad.[104] En última instancia de eso trata la vida cristiana, hay que ser fiel al Señor, a la iglesia como cuerpo de Cristo y como denominación, a la familia, los compañeros y a los amigos.

Hay que ser fiel a los mentores, quienes nos engendraron en el ministerio. Una de las últimas cosas que se ponen a prueba cuando Dios llama al ministerio es la fidelidad, no sólo a él, más bien a otros. La persona

---

[103] Lucius Annaeus Seneca and HQ Classics, *Seneca's Letters from a Stoic*, (Classics HQ, 2022), LXXI. On the Supreme Good.

[104] Richard S. Taylor, «*FIDELIDAD, FIEL*», ed. J. Kenneth Grider, Willard H. Taylor, y Edgar R. González, trans. Eduardo Aparicio, José Pacheco, y Christian Sarmiento, Diccionario Teológico Beacon (Lenexa, KS: Casa Nazarena de Publicaciones, 2009), 300.

llamada no abandona a sus mentores ministeriales, sino es fiel a sus ministerios hasta que llegue el momento oportuno de comenzar el ministerio propio. En la Biblia hay muchos ejemplos de fidelidad hacia las personas que precedieron en el ministerio. Uno de los ejemplos más inspiradores es el del profeta Eliseo quien se dedicó a servir al profeta Elías hasta el mismo momento de su partida.[105] Las palabras del apóstol Pablo acerca del joven Timoteo son muy elocuentes en este respecto:

> Espero en el Señor Jesús enviarles pronto a Timoteo, para que yo también pueda regocijarme al saber cómo se encuentran ustedes; pues no tengo a nadie con ese mismo ánimo, y que con tanta sinceridad se interese por ustedes. Porque todos buscan su propio interés, y no lo que es de Cristo Jesús. Pero ya conocen los méritos de él, *que ha servido conmigo en el evangelio como sirve un hijo a su padre.*[106] (Énfasis añadido)

La integración de los roles: Dios, familia y ministerio

Uno de los mayores retos en la vida de la persona llamada al ministerio es lograr la manera de integrar su relación con el Dios que lo ha llamado, su propia familia y su desempeño ministerial. La vida del ministro no tiene nada de aburrida. Cualquier otra profesión o vocación puede ser predecible, pero no así la vida ministerial. Cuando el líder llega el día de culto no sabe a ciencia cierta con qué se va a encontrar, sobre todo si es el pastor. Hay veces, que a toda carrera hay que abandonar una reunión de amigos, o un compromiso ministerial ante un imprevisto que requiere que el ministro o pastor se haga presente. En ocasiones Dios decide invitar a los santos a la eternidad el

---

[105] 1 de Reyes 19:21

[106] Filipenses 2:19 al 22

día de cumpleaños del pastor, conmemoración del matrimonio o durante las vacaciones anuales de la familia. Las visitas tienen que hacerse sin dilaciones y algunas consejerías requieren atención inmediata. No hay duda de que ser llamado al ministerio es una experiencia extremadamente excitante. Un ministro cristiano podrá estar extenuado, pero nunca aburrido.

Suponemos que Dios es primero, luego la familia y luego el ministerio. Esa suposición debe ser observada con detenimiento. Dios es muy humilde y creo que a él no le interesa ser primero y que los demás aspectos de la vida cotidiana de sus hijos se caigan en pedazos. Me explico, si Dios está siempre presente, todas las cosas serán prioridad. Todo lo que soy como creyente, padre, esposo, abuelo, hijo y ministro se interseca y en un sentido todo es primero. Si se dice que Dios es primero y lo demás es secundario se corre el riesgo de no prestar la debida atención a las otras responsabilidades.[107] Pero si se dice que Dios está presente y dirige cada aspecto de la vida y ministerio entonces *todo* es primero ya que Dios está presente. Así que Dios pasa de ser una parte del proyecto de vida de la persona llamada al ministerio para arroparlo todo y ser el todo en todo. Con respecto a la totalidad de Dios en el ser humano Orígenes escribe:

> Significa que Él es "todo" en cada persona individual. Ahora, Él será "todo" en cada individuo de este modo: Cuando todo entendimiento racional, limpiado de las heces de todo tipo de vicio y barrido completamente de toda clase de nube de maldad, pueda sentir o

---

[107] Proverbios 27:23 al 27 "Mantente atento al estado de tus ovejas; cuida bien a tus rebaños, porque las riquezas no duran para siempre ni la corona permanece perpetuamente. Cuando salga la grama y aparezca la hierba, y en los montes se corte la hierba, los corderos te proveerán de ropa y los cabritos te darán para comprar un campo; la cabras te darán abundante leche para que se alimenten tú y tu familia y toda la servidumbre de tu casa".

entender o pensar, será totalmente Dios, y cuando no pueda mantener o retener nada más que Dios, y Dios sea la medida y modelo de todos sus movimientos, entonces Dios será "todo".[108]

Tomado desde esta perspectiva, la familia y Dios son primero, el ministerio y Dios son primero, la persona y Dios son primero. Todo se da en conjunto para hacer el trabajo con agrado y efectividad. El Señor no desea que ninguno de sus ministros triunfe en el ministerio y fracase en el hogar. Uno de los lugares donde el ministro baja la guardia es en el hogar. Paradójicamente muchas batallas que los ministros pierden son las del hogar con la familia más cercana. Eso no debería ser de esa manera, sino que el mismo éxito que tenemos en la iglesia debería ser el mismo éxito que tenemos en el hogar. El problema es que el hogar no es la iglesia. La familia está diseñada para ser el lugar de refugio y descanso del ministro, pero en ocasiones el hogar es el punto más débil de quienes han sido llamados al ministerio.

El hogar es el castillo, no el punto débil. La casa de un hombre de Dios debe ser su castillo, su lugar de refugio y protección después de un largo día. Debe ser su refugio, castillo y lugar de descanso. Muchos hombres y mujeres llamados ganan la pelea en el púlpito, pero la pierden en el hogar. Parece empírico, pero regularmente después de las grandes victorias, vienen grandes batallas y fuertes tentaciones. Por lo que todo hombre y mujer llamados al ministerio debe consolidar sus victorias ministeriales en el hogar. El hogar es el lugar donde la persona da gracias a Dios por las victorias en el campo de labor. El hogar es un punto débil cuando la persona llamada es un ser totalmente desconocido entre los seres queridos y cuándo esa humanidad no es comprendida, es porque como creyente el ministro tampoco ha sabido comprender.

---

[108] Orígenes, *Lo mejor de Orígenes*, ed. Alfonso Ropero, Patrística (Terrassa: Editorial CLIE, 2002), 291.

Conclusión

La iglesia debe retomar la importancia del llamado al ministerio.

A manera de una conclusión permítanme compartir mi experiencia personal como persona llamada al ministerio desde que tenía 19 años de edad. El llamado al servicio ministerial es una experiencia de formación constante. El ministerio hace madurar los individuos, pero nunca se termina el proceso de formación. Un ministro o ministra, nunca es una obra terminada, siempre el Espíritu Santo estará trabajando en la persona. El llamado al ministerio se asume diariamente como si fuera la primera vez: "Por las noches te desea mi alma, y mientras haya en mí un hálito de vida, te buscaré por la mañana porque, cuando tú emites un juicio, los que habitan este mundo aprenden a hacer justicia".[109] En mis 42 años de experiencia ministerial, con altas y bajas, luces y sombras he podido llegar a varias conclusiones.

En primera instancia, la iglesia debe enfatizar la importancia del llamado al ministerio. Servir en el pleno ministerio es algo deseable que la iglesia y sus líderes deben modelar. Segundo, La iglesia debe confiar más en sus ministros jóvenes. Si el ministerio ha envejecido se debe en parte a que una generación de ministros se ha enquistado en las estructuras y no han dado paso a generaciones más jóvenes, arriesgando el legado de toda una vida. En tercer lugar, hace falta gente que vean el llamado como un proyecto de vida. Con frecuencia he encontrado personas y aun compañeros ministros insinuando a los más jóvenes que estudien alguna profesión adicional como dando a entender que del

[109] Isaías 26:9

ministerio no se puede vivir solamente. Cuarto, el llamado requiere conocimiento adecuado de las santas verdades. En 2 de Timoteo 2:25 el apóstol escribe "que corrija con mansedumbre a los que se oponen, por si acaso Dios les concede arrepentirse para que conozcan la verdad". La persona llamada al ministerio debe estar bien formada en temas de Biblia, teología, prácticas ministeriales y cultura general. En quinto lugar, la persona llamada al ministerio debe tener la certeza que hay campo para trabajar. La iglesia de hoy tiene una gran diversidad de áreas en las cuales el Espíritu Santo quiere colocar a quienes aceptan su llamado al servicio.

Preguntas para ampliar la reflexión

1. ¿Crees que Dios llama a las personas al ministerio? ¿Porque si o no?
2. ¿Estás participando del llamado global que Dios hace a todos los salvados para que cumplan la gran comisión de Mateo 28:16-20? ¿Si es afirmativo, de qué manera?
3. ¿Has tenido o estas teniendo una experiencia sobrenatural de llamado? ¿Cómo estas respondiendo?
4. ¿Te produce humildad saber que a través del llamado Dios añade valor y autoridad?
5. ¿Crees que la capacitación formal te ayudaría a ser más eficiente en el llamado ministerial? ¿Por qué si o por qué no?

Bibliografía

Ernesto Johnson, G. *Liderazgo Desde la Cruz: Principios y Personajes Del liderazgo bíblico.* (Edinburg, TX: Editorial Rio Grande, 2011).

Estrada Adorno Wilfredo, ed. *Perspectivas Teológicas Pentecostales Tomo II: El Legado Del Avivamiento en la Calle Azusa 117 Años Después.* Editorial UNILIMI, 2023

Hunt June. *100 Claves Bíblicas para Consejería,* vol. 47 (Dallas, TX: Esperanza para el corazón, 1990–2011).

Kistemaker, Simon J. *Comentario al Nuevo Testamento: Hechos.* (Grand Rapids, MI: Libros Desafío, 2007).

Ortiz V. Pedro. *Concordancia manual y diccionario Griego-Espanol del Nuevo Testamento.* (Miami: Sociedades Bíblicas Unidas, 2000).

Scott, Carlos. *Documentos de COMIBAM - Guía práctica para el proceso de misiones en la iglesia local.* (Bellingham, Washington: Software Bíblico Logos, 2006).

Taylor, Richard S. ed. J. Kenneth Grider, Willard H. Taylor, y Edgar R. Conzález. trans. Eduardo Aparicio, José Pacheco, y Christian Sarmiento. *Diccionario Teológico Beacon* (Lenexa, KS: Casa Nazarena de Publicaciones, 2009).

Thomas John Christopher, ed. *Toward a Pentecostal Ecclesiology: The Church and the Fivefold Gospel.* Cleveland: CPT Press, 2010.

Willard, Dallas. *"La Gran Omisión, Recuperando las enseñanzas esenciales de Jesús en el discipulado"*. Harper Collins Español: Nashville, 2015.

Williams, Matthew C. «Presentación de la Colección Teológica Contemporánea», en *Renueva tu Corazón: Sé cómo Cristo*, ed. Nelson Araujo Ozuna, Anabel Fernández Ortiz, y Dorcas González Bataller. Trans. Pedro L. Gómez Flores. Colección Teológica Contemporánea. (Viladecavalls, Barcelona: Editorial Clie, 2004).

Recursos en línea

Calaprice, Alice. Albert Einstein. El Libro Definitivo de Citas. [Edition unavailable]. 2016. Reprint, Plataforma, 2016. https://www.perlego.com/book/1900504/albert-einstein-el-libro-definitivo-de-citas-pdf.

De Teresa, Dora. Management. *Thomas Edison: Historia de un fracaso.* 11/07/2016 https://management.emprenemjunts.es/?op=8&n=12648 (11/19/2023)

Harvey, Dave. *¿Soy Llamado?* [Edition unavailable]. 2018. Reprint, B&H Publishing Group, 2018. https://www.perlego.com/book/2694996/soy-llamado-caractersticas-indispensables-del-ministerio-pastoral-pdf.

Iorg, Jeff. *Is God Calling Me?* [Edition unavailable]. 2008. Reprint, B&H Publishing Group, 2008. https://www.perlego.com/book/2693672/is-god-calling-me-answering-the-question-every-believer-asks-pdf.

REAL ACADEMIA ESPAÑOLA: *Diccionario de la lengua española,* 23.ª ed., [versión 23.6 en línea]. <https://dle.rae.es>. (11/21/2023)

Saint Augustine. AZQuotes.com, Wind and Fly LTD, 2023. https://www.azquotes.com/quote/1403569, accessed November 24, 2023.

Seneca, Lucius Annaeus, and HQ *Classics. Seneca's Letters from a Stoic.* [Edition unavailable]. 2022. Reprint, Classics HQ, 2022. https://www.perlego.com/book/3252207/senecas-letters-from-a-stoic-pdf.

Swindoll, Charles. *Más de 1001 Ilustraciones y Citas de Swindoll.* [Edition unavailable]. 2012. Reprint, Grupo Nelson, 2012. https://www.perlego.com/book/554292/ms-de-1001-ilustraciones-y-citas-de-swindoll-pdf.

Capítulo 6

El liderazgo en la misión integral del pastor pentecostal

Adolfo De La Garza[110]

Introducción

Hay diferentes razones por las cuales las iglesias o las congregaciones no logran alcanzar su mayor potencial y no cumplen con los propósitos para los cuales Dios les permitió que llegasen a existir. Las congregaciones, las cuales están compuestas por creyentes o cristianos, deben tener una estructura establecida por Dios para que puedan operar o funcionar como un cuerpo organizado. Esta estructura lleva, un líder puesto por Dios para dirigir, a guiar y llevar tal grupo de creyentes a metas y propósitos deseados conforme a la palabra de Dios. De acuerdo con la Biblia ese líder es el pastor. Si el pastor carece de entendimiento de su posición como líder y no ha desarrollado las habilidades como líder de la congregación que Dios ha puesto en sus manos, terminará

---

[110] El Obispo Adolfo de la Garza es pastor, por más de 35 años , de la Iglesia de Dios (Cleveland, TN) Central Park en Garland, Texas y estudiante de Maestría en Estudio Pentecostales de la Universidad de Liderazgo y Ministerio.

llevando a sus ovejas no más allá del punto de su capacidad. Por eso creo firmemente que una congregación no irá más allá del nivel de su pastor. Dicho en términos Bíblicos, las Sagradas Escrituras nos dice: "y será el pueblo como el sacerdote".[111] En este estudio estaré hablando sobre el liderazgo en la misión integral del pastor pentecostal.

La responsabilidad de pastorear una congregación

El trabajo de pastorear una iglesia o congregación fue diseñado por Dios. Aunque se reconoce que Cristo es la cabeza del cuerpo, de la iglesia, el trabajo del pastor es encabezar o ir al frente de una congregación. Dios da al pastor la responsabilidad de proveer, apacentar, guiar, acompañar a las ovejas hasta el final de sus días en la tierra. La Escritura nos dice "obedeced a vuestros pastores, y sujetaos a ellos; porque ellos velan por vuestras almas".[112]

Como podemos ver, en este pasaje del libro de Hebreos, Dios no nos dice "obedeced a vuestros apóstoles, o evangelistas o profetas o maestros", sino que dice "obedeced a vuestros pastores", determinando así sobre quienes Dios ha puesto el liderazgo de la iglesia o de cada congregación. Podemos decir también que la misión integral del pastor incluye muchas diferentes áreas, como también podemos decir que, el distintivo "Pentecostal" define que el trabajo del pastor debe ser bajo la dirección del poder el Espíritu Santo o en el poder del Pentecostés.

El término "liderazgo" viene de la palabra "líder" (leader), en el idioma inglés, el cual se refiere a una persona que va al frente de un grupo de personas dirigiéndolos, o guiándolos. Dirigir es el quehacer de un

---

[111] Oseas 4:9 (RV1960).

[112] Hebreos. 13:17 (RV1960).

líder. Podríamos definir liderazgo como la capacidad que tiene una persona para guiar, organizar, influenciar o motivar a los líderes y miembros de su iglesia o congregación de forma efectiva para alcanzar las metas y propósitos deseados.

El concepto de liderazgo cristiano se fundamenta en una actitud de servicio o de ministerio. Las palabras "ministrar" y "ministro" tienen como raíz el adverbio latín, *minus,* "menos", y se aplica a uno que sirve.[113] El pastor como líder verdadero guiará a través del servicio.

La importancia del liderazgo efectivo dentro de la iglesia es un tema de gran relevancia. La habilidad y capacidad de liderazgo ha sido siempre una característica de las instituciones o iglesias más sobresalientes, por lo tanto, no se debe tomar en poco o por desapercibida la gran necesidad de tener mejores pastores y líderes en nuestras iglesias. Se reconoce que una institución o una iglesia no llegará más allá de la capacidad de su líder o su pastor. Las iglesias sobresalientes y emprendedoras tendrán líderes o pastores sobresalientes y emprendedores. Las iglesias visionarias y con una mentalidad del reino de Dios, tendrán pastores visionarios, apasionados por el reino de Dios. Cuando la Escritura nos dice "y será el pueblo como el sacerdote",[114] nos revela que como el sacerdote se había corrompido y había abandonado la palabra de Dios, y por lo tanto el pueblo perecería junto con el sacerdote.

¿Es necesario el liderazgo dentro de la iglesia? Definitivamente que sí, pues toda institución, incluyendo la iglesia funciona a base del liderazgo. Los mejores resultados se logran por medio de un liderazgo efectivo; y es un hecho, bien comprobado, que donde no hay liderazgo, no hay coordinación ni sentido de dirección. La

---

[113] Wilfredo Calderón, *La administración en la iglesia cristiana* (Deerfield, Florida: Editorial Vida, 1993), 22.

[114] Oseas 4:9 (RV)

iglesia es un cuerpo y si ese cuerpo no tiene cabeza, entonces no tiene visión ni coordinación. La coordinación de un cuerpo viene de la cabeza. Jesucristo como cabeza principal de la iglesia da al pastor la responsabilidad de guiar, y dirigir, teniendo este la mente de Cristo, para coordinar todos los movimientos del cuerpo de Cristo.

Un aspecto muy importante acerca del liderazgo dentro de la iglesia, es que éste se da por llamamiento divino.[115] El apóstol Pablo nos dice, claramente, por medio de la carta a los Efesios que "Dios llamo a unos apóstoles, a otros profetas, a otros evangelistas y a otros pastores y maestros". También es importante reconocer que hay diferentes posiciones de liderazgo dentro de la iglesia y no sólo la posición del pastor, ya que en un cuerpo hay muchos miembros y Pablo nos dice, cuando escribe a los Corintios, que Dios coloca los miembros del cuerpo donde él quiso. Entre las cosas que más debe recordar un pastor como líder es lo siguiente: La visión y la motivación que lo impulsan al liderazgo son diferentes a las motivaciones del mundo. El Apóstol Pablo nos da un gran ejemplo de liderazgo cuando le dice a los Corintios "y yo con el mayor placer gastaré de lo mío, y aun yo mismo me gastaré del todo por amor de vuestras almas, aunque amándoos más, sea amado menos".[116]

Otra realidad de gran importancia que un líder o pastor debe entender es que la plataforma espiritual y moral en la que él está parado requiere integridad y pureza. El hecho de que Dios ha dado al pastor la posición de más jerarquía dentro de la iglesia, debe ser un gran recordatorio de ser un verdadero ejemplo a todos aquellos líderes y miembros de la iglesia que están bajo su liderazgo.

---

[115] Wilfredo Calderón, *Liderazgo Cristiano* (Miami, Florida: Gospel Press/senda de vida, 1999), 24.

[116] 2 Corintios 12:15 (RV)

Cuando analizamos el concepto de Dios sobre el pastorado en el Antiguo Testamento, podemos ver como Dios pastoreó a su pueblo por el desierto y como después fue reconocido por el Rey David como su pastor. Una nota importante aquí es que David no reconoció a Dios como su profeta o como su sacerdote, sino como su pastor y luego procede a describir todas las labores que un pastor desempeña, reconociendo que Dios es pastor de pastores. David reconoce la importancia del cuidado del pastor, ya que el mismo era pastor de las ovejas de su padre. Dios mismo tiene un corazón pastoral, pues le dijo a su pueblo que le daría pastores conforme a su corazón. De la misma manera que Dios toma el pastorado de forma muy personal, todo pastor también debe tomar su pastorado con mucha seriedad.

Es de suma importancia analizar, también, el concepto de Dios sobre el pastorado en el Nuevo Testamento. Una de las declaraciones de Jesús sobre el pastorado tiene que ver con el nombre del "Gran yo soy" cuando dijo, "Yo soy el buen pastor; el buen pastor su vida da por las ovejas".[117] El apóstol Pedro también le llama el "Príncipe de los Pastores", mientras que el libro de Hebreos lo llama "el gran pastor de las ovejas". Podemos decir, sin duda alguna, que Jesucristo, también, toma el liderazgo pastoral de forma muy personal y que, por lo tanto, todo pastor debe tomar su liderazgo pastoral de manera muy seria y formal, sabiendo que algún día Dios demandará cuentas de nosotros del cuidado y la atención pastoral que habremos dado al pueblo.

La misión integral del pastor pentecostal demanda de él la capacidad de servir en muchas diferentes áreas. Una de las características más importantes de un pastor, es la cantidad de tiempo que las ovejas requieren y la cantidad de atención que estas mismas necesitan de él. Esta realidad demanda del pastor que pueda ser un

---

[117] Juan. 10:11 (RV)

consejero bíblico y práctico, al mismo tiempo que dirige y guía a sus ovejas. Debe ser un buen administrador; una persona sabe manejar todos los recursos a su alcance; debe mantener buenas relaciones humanas con todos en su congregación. El pastor como líder debe tener un buen plan de educación, discipulando y capacitando a sus líderes y proyectando su ministerio hacia el futuro. Como predicador debe alimentar a sus ovejas de forma inspiracional, pero, también, con solidez teológica. Como líder principal de una congregación el pastor debe esforzarse por mantenerse informado, básicamente sobre todo lo que su congregación necesite.

David sabía que Jehová era su pastor y que nada le faltaría, y que por lo tanto, como pastor, al cuidar las ovejas de su padre, él tenía que cuidarlas de tal manera que nada les faltara. Si el pastor ha de ser el líder que llevará las ovejas del Padre Celestial por los procesos de la vida, entonces tal pastor debe luchar por alimentar y cuidar las ovejas sin que nada les falte.

Existen básicamente tres diferentes tipos de liderazgo. El pastor como líder principal de su congregación debe entender claramente cada uno de ellos y debe esforzarse por dirigir su congregación de la forma más efectiva, edificando la fe de sus feligreses. El primer tipo de liderazgo es el autoritativo. Este es el que toma todas las decisiones como líder principal de una institución o de una congregación sin tomar en cuenta a ninguno de sus colaboradores. Tristemente, este tipo de líder autoritativo termina, siendo ignorado y aún hasta abandonado a causa de la intransigencia que se desarrolla, generalmente, por el autoritarismo que prevalece en el ambiente de trabajo.

El segundo tipo de liderazgo es el participativo. Este es donde las opiniones de todos los participantes son tomadas en cuenta, más la responsabilidad de tomar la última decisión siempre será de líder principal, o el pastor. En grupos donde la opinión de todos es importante, generalmente, se desarrolla un ambiente de aceptación y colaboración. El deseo de cada miembro de una iglesia, de trabajar y participar en las tareas del grupo, se intensifica cuando el líder principal, o sea el pastor, lleva a cabo un liderazgo participativo. Existe otro tipo de liderazgo el cual se llama *laissez-faire*. Este tipo de liderazgo es donde se delega y se deja en libertad a los miembros de un grupo para que ellos tomen sus propias decisiones. Generalmente, este tipo de liderazgo produce una serie de problemas que tienen que ver con el individualismo de algunos participantes.

Consideremos varias características de un buen líder. Un buen líder es digno de ser imitado. El apóstol Pablo nos dejó un gran reto cuando dijo "sed imitadores de mí, así como yo soy de Cristo". Podemos ver, claramente, que el apóstol Pablo llevaba una gran carga por enseñar a las futuras generaciones de creyentes, la importancia de guiar por medio del ejemplo. Otra característica de un buen líder o pastor es el ser humilde. Un líder humilde es abierto a las opiniones de los demás, tiene consideración por lo demás, y practica la empatía. Aquel líder que reconoce sus errores, su capacidad y sus limitaciones, y está dispuesto a ser enseñado, es un líder dócil y flexible, lo cual es otra característica de un buen líder. Recordemos que un buen líder siempre tendrá una visión clara hacia donde se dirige y no le falta iniciativa propia para alcanzar nuevas metas. Para este tipo de líder o pastor visionario, la opinión de los demás siempre será importante, pero el siempre sabrá hacia donde lo lleva la pasión que Dios ha puesto en su corazón.

En la Biblia se encuentran muchos ejemplos de grandes líderes. El liderazgo de Salomón debe ser un gran ejemplo para seguir. Cuando Dios se le apareció en sueños, Salomón prácticamente le contestó a Dios diciendo: me diste posición, autoridad, poder, unción, pero no sé cómo usarlos. Tristemente, muchos líderes o pastores en la actualidad, como Salomón, no saben cómo usar las herramientas de liderazgo que Dios les ha dado y terminan hiriendo, o lastimando a las almas que Dios ha puesto bajo su cuidado. Por eso es necesario que todo pastor pida a Dios sabiduría, el cual la dará abundantemente y sin reproche.[118] Debemos usar la posición, la unción, el poder, o la autoridad espiritual que Dios nos ha dado para edificar el reino de Dios en los corazones de los hombres, desempeñando así un gran liderazgo dentro de la iglesia.

El ejemplo más grande de liderazgo efectivo se encuentra en la persona del Señor Jesucristo en el Nuevo Testamento. La cantidad de lecciones sobre liderazgo, que encontramos al analizar como Jesucristo estableció la estructura que llevaría a la iglesia por el periodo de evangelización mundial y aun sostendría la iglesia a lo largo de los siglos hasta el tiempo presente es impresionante. Salomón no tenía sabiduría y tuvo que pedirla. Jesucristo es la fuente eterna de la sabiduría y se la impartió a sus discípulos mientras convivía con ellos. Uno de los ejemplos más grandes a seguir fue cuando estableció la comunión y les sirvió la mesa a todos los discípulos por igual. Después hizo lo mismo cuando les lavó los pies a los discípulos sin hacer acepción de personas, sabiendo que Judas era un ladrón y traidor. En ningún momento Jesús perdió el dominio propio. Jesucristo vivió en carne propia todas las enseñanzas que por tres años y medio había dado a sus discípulos. Perdonar al hermano setenta veces siete, amar a sus enemigos, vivir para servir y no para ser servido, no cortar la cizaña junto con el trigo, son sólo unas cuantas de las enseñanzas que Jesucristo dio a sus discípulos en tres años y medio. Concluyó sus enseñanzas, diciéndoles: "porque ejemplo os he dado, para que como yo os he hecho, vosotros también hagáis". Ser líder y llevar a un grupo a alcanzar una meta, requiere hacerlo por medio de

---

[118] Santiago 1:5 (RV)

ejemplo propio. Todo comienza con la preparación de una nueva generación de líderes con espíritu de humildad y servicio que sigan el ejemplo de sus pastores, que con el correr del tiempo, van a sustituir. Ted W. Engstrom nos dice que Jesucristo utilizó el servir a los demás como el método por excelencia para capacitar a la nueva generación de líderes en la iglesia.[119] A continuación veamos cinco evidencias básicas de un gran líder.

A. Pacificador: El apóstol Pablo dijo a los cristianos de Roma, "en cuanto dependa de vosotros estad en paz con todos.".
B. Unificador: Un buen líder no divide, sino edifica.
C. Facilitador: La participación de un líder efectivo no complica las cosas, sino que las facilita.
D. Balanceador: La obra del Señor atraviesa por muchos momentos difíciles y necesita que su líder sepa mantener el balance en medio de toda situación.
E. Servidor: La esencia del verdadero liderazgo es el servir a los demás, así como Jesucristo lo hizo.

El líder o pastor de una congregación debe cuidar su influencia, pues su poder de convencimiento, tanto como su credibilidad, serán afectados y perderá la efectividad en el ministerio. John C Maxwell nos dice "que la verdadera medida del liderazgo es la influencia".[120] De la misma manera, también, es necesario que cuide su testimonio pues esto hará que muchos se acerquen a él o se alejen de él. Otro aspecto de vital importancia para el líder o pastor es el cuidado que debe tener de su salud. La

---

[119] Ted W. Engstrom, *un líder no nace, se hace* (Editorial Betania: Caparra Terrace, Puerto Rico, 1980), 45.

[120] John C. Maxwell, *21 leyes de liderazgo en la Biblia* (Grupo Nelson: Nashville, Tennessee, 2021), 23.

salud física es clave para el éxito de un pastor. El liderazgo o el pastorado en una congregación lleva un peso agotador y muchos siervos de Dios terminan en el hospital. También todo pastor debe cuidar su comunión con Dios, pues ¿cómo puede hablar en el nombre de Dios si no ha estado en su presencia? De la misma manera el pastor como líder principal debe tener una buena relación con los demás.

Finalmente veamos como el liderazgo del pastor pentecostal es guiado por el Espíritu Santo. Jesucristo dijo a sus discípulos que el Espíritu Santo los guiaría a toda la verdad y cuando la iglesia primitiva enfrentó sus primeros problemas Jacobo dirigió la palabra a la iglesia en Jerusalén diciendo "porque ha parecido bien al Espíritu Santo y a nosotros no imponeros ninguna carga más que estas cosas necesarias".[121] Jacobo nos da a entender como el pastor pentecostal toma decisiones bajo la dirección del Espíritu Santo. La Escritura también nos dice que Saulo y Bernabé fueron llamados por el Espíritu Santo, estando estos ministrando en la iglesia de Antioquía. De manera que, también, podemos entender que el pastor pentecostal no asigna puestos en la obra del Señor, sin que el Espíritu Santo lo apruebe.

Otro momento que arroja entendimiento sobre la visión del pastor pentecostal es cuando Pablo recibió la visión del varón macedonio. Pablo intentó ir a otros lugares y evangelizar pero el Espíritu Santo se lo impidió, más tuvo una visión donde un varón le decía "pasa a Macedonia y ayúdanos". No hay duda de que el pastor pentecostal desarrolla su visión por la dirección del Espíritu Santo. Por último podemos decir que el pastor pentecostal avanza bajo la unción del Espíritu Santo cuando leemos las palabras que Pedro dijo a la iglesia en general "porque para vosotros es la promesa, y para

---

[121] Hechos 15:28 (RV).

vuestros hijos, para los que están lejos y para cuantos el Señor vuestro Dios llamare".[122]

Conclusión

Desde que Dios creó los cielos y la tierra, la dirección de un grupo, ya sea éste un pueblo o una familia, o una nación, Dios siempre lo ha puesto bajo el liderazgo de una persona. Dios usó a Moisés para sacar a su pueblo de Egipto y después usó a Josué para introducirlo a la tierra prometida y así podemos ver como Dios siempre da la responsabilidad a un líder, para guiar, y llevar a su pueblo conforme a los propósitos de Dios mismo.

En el caso de la iglesia del Señor, Dios le da pastores que la guíen y la lleven por donde Dios quiere y a donde Dios dirige. Dios prometió a su pueblo que le daría pastores conforme a su corazón, y cuando Jesucristo vino a la tierra nos enseñó lo que era pastorear las ovejas del Padre Celestial, conforme al corazón de Dios. Dios ahora derrama Espíritu de sabiduría sobre hombres y mujeres, cuyo corazón está dispuesto a ser lleno del Espíritu de Dios para llevar a cabo el liderazgo en la misión integral del pastor pentecostal.

Preguntas para reflexionar

1. ¿Qué quiere decir el autor cuando dice que una congregación no irá más allá de su pastor, basado en lo que dice Oseas, "y será el pueblo como el sacerdote"?
2. ¿Es necesario el liderazgo dentro de la iglesia? Explica.
3. La misión integral del pastor pentecostal demanda de él la capacidad de servir en muchas diferentes áreas. Menciona algunas de estas áreas.

---

[122] Hechos 2:39 (RV).

4. ¿Cuáles son los tres tipos de liderazgo? Explica cada uno.
5. ¿Cuáles son las cinco evidencias básicas de un líder? Explica cada una.

Bibliografía

Calderón, Wilfredo. *El liderazgo cristiano: nueve elementos esenciales*. Gospel Press/Sendas de Vida, 1999.

______. *La administración de la iglesia. Deerfield, Florida: Editorial Vida, 1993.*

Engstrom, Ted W. *Un líder no nace, se hace*. Caparra Terrace, Puerto Rico: Editorial Betania, 1980.

Maxwell, John C. *21 leyes de liderazgo en la Biblia*. Nashville, Tennessee: Grupo Nelson, 2021.

Capítulo 7

La singularidad y normalidad de una familia pastoral

José Daniel Montañez, D. Min.

Introducción

La familia pastoral, en muchos aspectos, es una familia habitual. Sin embargo, por otra parte, enfrenta situaciones y desafíos particulares por la naturaleza de su identidad y función como familia pastoral.

En mi experiencia, no nací ni crecí en una familia pastoral. Sí recuerdo, que mis padres, mis hermanas y yo crecimos en una iglesia por la que pasaron cinco familias pastorales en un periodo de 15 años. Tuvimos como pastores a un matrimonio adulto que nunca tuvo hijos. Otra familia pastoral, tenía un niño pequeño y una niña que nació durante su tiempo entre nosotros. Dos de las familias pastorales, tenían hijos e hijas adolescentes. La última pareja pastoral viajaba desde muy lejos con una niña pequeña. Luego les nació un hijo que hoy es un prominente pastor en la Región Este Central de los Estados Unidos. Las familias pastorales son tan diversas como las iglesias en las que ministran.

Recuerdo, que cada vez que se anunciaba un cambio pastoral, una de las preguntas que, como niños y adolescentes, nos intrigaba era: ¿Cómo será la familia del nuevo pastor? Lo que nunca consideré fue que probablemente, a esa familia pastoral, que tanto anhelábamos conocer, nunca se le preguntó ni se le consultó sobre si querían o no venir a nuestra iglesia y a nuestro pueblo. Ellos venían en obediencia porque el pastor (nunca la pastora) era trasladado por la denominación a una nueva tarea ministerial. Porque, según el supervisor de turno, él era la mejor persona para suplir las necesidades pastorales de nuestra congregación.

Ahora, se me ocurre pensar que la esposa, hijos e hijas del pastor, posiblemente, llegaban a nuestra iglesia con sentimientos de pérdida, temor, inseguridad o ansiedad. Considero que pudo ser que no estuvieran emocionados y contentos de dejar a sus amigos, sus escuelas y sus círculos de apoyo para venir a conocer su nueva familia de la fe. A la verdad, no lo sé, porque nunca les pregunté. De la misma manera, como era alta la emoción, también eran altas las expectativas que teníamos del pastor y su familia. Se esperaba que estuvieran contentos y hasta agradecidos de ser nuestros pastores. Que sirvieran a la iglesia con sacrificio y dedicación porque el Señor les había concedido el privilegio de ser nuestros modelos y guías espirituales.

A mis 22 años, cuando ya era ministro ordenado, comencé mi propia familia pastoral. Le pedí a una joven de 19 años que fuera mi esposa. El entendimiento implícito era que, si aceptaba mi propuesta matrimonial, también aceptaría mi llamado al ministerio con la expectativa de que debería ser una ayuda idónea. ¡Que valiente fue mi amada Socorro! Sin saber lo que le esperaba, ella aceptó.

Igualmente, nuestros tres hijos: Joel, Abigail y Daniel, nacieron y crecieron en un ambiente influenciado y determinado por mi llamado al ministerio pastoral. Como una familia itinerante, nos mudamos 15 veces entre 1986-2006. Hoy, en las reuniones familiares, nuestros hijos y nuestra hija recuerdan un sinfín de experiencias dulces y amargas de su jornada como familia pastoral. Lo que más me sorprende es que cuando cuentan sus historias, algunas no las recuerdo y otras las recuerdo, pero de otra manera.

He aprendido que hay por lo menos dos factores que influyen en cómo se entienden y procesan las experiencias de una familia pastoral. El primero, es la posición que ocupa cada miembro en el núcleo familiar, y el segundo, es la etapa de desarrollo en la que se encuentran cuando experimentan estas vivencias. Así mismo hoy hay familias que, en obediencia al llamado de Dios, sirven al Señor y a Su pueblo, en campos y ciudades, en el ministerio cristiano en función de una familia pastoral.

El ministerio cristiano

Los pastores y las pastoras comenzamos nuestro ministerio por un llamado de Dios. El llamado de Dios se entiende como una llamada de fe o una tarea especial al servicio de Dios.[123] El apóstol Pablo dice a Timoteo:

> Fue él (Dios) quien nos salvó y nos llamó con santo llamamiento, no conforme a nuestras obras sino conforme a su propio propósito y gracia. (2 Timoteo 1:9 RVA-2015)
>
> Doy gracias al que me fortaleció, a Cristo Jesús nuestro Señor, porque me tuvo por fiel al ponerme en el ministerio… (1 Timoteo 1:12 RVA-2015)

Estos pasajes bíblicos, entre otros (2 Corintios 3:6; 4:1; Colosenses 1:25; Hebreos 3:1), enfatizan la naturaleza del ministerio cristiano como un llamado divino, santo, por gracia y de acuerdo con el propósito eterno de Dios. En este proceso están activamente presentes el Padre, el Hijo y el Espíritu Santo. De acuerdo con Pablo, Dios es

---

[123] José David Rodríguez, *La Vocación*, (Nashville, TN: Abingdon Press, 2009), 19.

quien salva y convoca con santo llamamiento (2 Timoteo 1:9). Jesucristo es quien ejecuta el propósito eterno y divino poniendo a alguien en el ministerio (1 Timoteo 1:12). Del Espíritu Santo provienen el poder y la capacitación para el ministerio porque los ministros del nuevo pacto actúan no bajo la ley sino por el Espíritu que da vida (2 Corintios 3:4-6).

El llamado al ministerio es una vocación (*Klêsis*). La vocación es: (a) el impulso divino en el punto de partida de nuestra carrera, (b) es la sanción divina que nos sirve de ancla en las tormentas de la vida y del ministerio, (c) es el mandato divino que lleva al ser humano a entregarse hasta la última consecuencia por la causa de su Señor.[124] Howard Hendricks, profesor del Seminario Teológico de Dallas dice que: "Una carrera es aquello por lo que te pagan; una vocación es aquello para lo que estás hecho."

Aunque la percepción de la sociedad contemporánea parece ser que los pastores están en el ministerio para conseguir altas cantidades de dinero y enriquecer a la familia pastoral, la realidad es que, aunque existen excepciones, la mayoría de las familias pastorales viven sin lujos excesivos y de manera modesta como el resto de la congregación. Una gran cantidad de plantadores de iglesias y pastores de congregaciones hispanas, medianas y pequeñas, dedican sus vidas por muchos años sin recibir remuneración financiera de la congregación. Asimismo, pastores bivocacionales, en iglesias pentecostales hispanas en los Estados Unidos, invierten de sus recursos para el bienestar de la iglesia porque entienden que la vocación es suprema y tiene recompensa eterna.

---

[124] Sugiero la lectura del libro *La Vocación* del Dr. José David Rodríguez para explorar el tema de la vocación cristiana desde una perspectiva hispana.

El llamamiento al ministerio pastoral

Una de las manifestaciones de esta vocación y del supremo llamamiento es el ministerio pastoral (Efesios 4:1). La expresión práctica de este llamado pastoral promueve la unidad del Espíritu, la conciencia ética del creyente consigo mismo, con su prójimo y el fortalecimiento de los vínculos familiares.[125]

El evangelio de Juan nos presenta a Jesús como el "Buen Pastor", quien está dispuesto a morir por sus ovejas (Juan 10:11,14). En la última conversación de Jesús con Pedro, en ese evangelio, el Señor mismo encomienda a Pedro la tarea de "apacentar sus corderos", "pastorear sus ovejas" y "apacentar sus ovejas" (Juan 21:14-17). Este Buen Pastor es quien imparte a Pedro la encomienda de la continuación de Su misma tarea de cuidar de las ovejas de Su redil.

Como parte de esta encomienda recibida de Jesús, Pedro, con una intención pastoral y buscando el fortalecimiento espiritual de la iglesia, nos reafirma el modelo pastoral del Señor cuando nos exhorta diciendo:

> Cuiden de las ovejas de Dios que han sido puestas a su cargo; háganlo de buena voluntad, como Dios quiere, y no forzadamente ni por ambición de dinero, sino de buena gana. Compórtense no como si ustedes fueran los dueños de los que están a su cuidado, sino procurando ser un ejemplo para ellos. Así, cuando aparezca el Pastor principal, ustedes recibirán la corona de la gloria, una corona que jamás se marchitará (1 Pedro 5:2-4 DHH).

Este pasaje nos confirma que, desde los comienzos de la iglesia cristiana en el primer siglo, el cuidado del redil del Señor ha estado a cargo de pastores que han

[125] Vea introducción al comentario de Efesios 4:1-6:19 en la *Biblia de Estudio Mundo Hispano*.

respondido al mismo llamado de Jesús. Por eso el apóstol Pedro se asegura de compartir un código ético con aspectos básicos y fundamentales que siguen siendo relevantes desde su tiempo y para el ministerio pastoral en el siglo 21. Hoy, nos corresponde a los pastores y pastoras, llamados y llamadas por Jesús, a proseguir con el cuidado del redil del Señor al cual él mismo nos ha llamado a pastorear y apacentar. ¡Qué gran privilegio y responsabilidad!

La familia pastoral en el Nuevo Testamento

En el Nuevo Testamento, el llamado de Dios se hace a individuos y no se resalta el rol de sus familias en la tarea apostólica y ministerial. Sí, hay menciones de Priscila y Aquila (Hechos 18:26; Romanos 16:3; 1 Corintios 16:19), así como de las cuatro hijas de Felipe, el evangelista, quienes profetizaban (Hechos 21:8-9). Esta mención es importante, particularmente, porque resalta el ministerio profético de la mujer en una cultura patriarcal. Asimismo, se menciona la familia de Estéfanas, que fue la primera que se convirtió en la región de Acaya, y se dedicaron a servir a los hermanos en la fe (1 Corintios 16:15).

La Biblia no elabora sobre las familias de los apóstoles o del rol que jugaron es sus ministerios. Menos aún hay evidencia sostenible de que los hijos deben heredar los ministerios o las iglesias de sus padres. Sin embargo, retomando el ejemplo de Priscila y Aquila, y de las hijas de Felipe, podemos inferir que existían matrimonios pastorales y miembros de la familia pastoral envueltos en la tarea del ministerio durante los comienzos de la iglesia.

Los pentecostales tomamos muy en serio la profecía de Joel la cual se cumple el Día de Pentecostés y Pedro la interpreta guiado por el Espíritu, declarando:

> Mas esto es lo dicho por el profeta Joel: Y en los postreros días, dice Dios, derramaré de mi

> Espíritu sobre toda carne, y vuestros hijos y vuestras hijas profetizarán; vuestros jóvenes verán visiones, y vuestros ancianos soñarán sueños; y de cierto sobre mis siervos y sobre mis siervas en aquellos días derramaré de mi Espíritu, y profetizarán (Hechos 2:16-18 RV60).

Hoy, la realidad de la experiencia de la familia pastoral, en la iglesia pentecostal, es que, hayan sido llamados o no, muchos de sus miembros sirven en algún ministerio de la iglesia. Por añadidura, todos los miembros de la familia pastoral, de una manera u otra, se ven afectados por el ministerio del pastor o la pastora. Hay familias pastorales en la cuales, además del pastor o la pastora, algún miembro de la familia afirma haber recibido un llamado a servir en algún ministerio. Hay otros miembros de la familia, inclusive el cónyuge del pastor o la pastora, que ven su función como una de apoyo al ministerio de la persona que ha sido llamada por Dios.

Así como las familias pastorales son diversas en su composición, también lo son en su acercamiento a los ministerios de la iglesia. Del mismo modo que no debe existir un patrón de uniformidad para todas las iglesias, tampoco se debe elevar un modelo pastoral sobre otro, ni someter a una familia pastoral a un patrón que no es ni bíblico ni saludable. El Espíritu Santo repartirá sus dones y talentos de acuerdo con Su voluntad y conforme a la capacidad de cada persona según la multiforme gracia de Dios (Mateo 25:15; 1 Pedro 4:10).

El estado del matrimonio y la familia pastoral

La relación matrimonial es la pieza más importante del rompecabezas de la familia pastoral. Sin esa pieza, el rompecabezas no se puede armar. El matrimonio pastoral es la piedra angular de la familia pastoral. Este matrimonio y la familia pastoral, como las demás familias, se mueve en dos esferas diferentes: la esfera privada y la esfera pública. Estas dos esferas o realidades están en continuo contacto y conflicto.

La esfera privada es lo que sucede cuando estamos solos, en familia, en la casa, el auto, la recamara, cuando nadie ajeno nos ve. En ésta se comparten sueños, se hacen planes, se manejan conflictos, se descubren nuevos afectos y defectos, en fin, se trata de vivir dentro de la normalidad de nuestras disfuncionalidades. Es lo cotidiano donde no deben existir máscaras ni pretensiones.

En un estudio reciente de Barna[126] se les preguntó a casi 500 pastores: ¿Cómo se sienten acerca de sus relaciones más íntimas? Entre las respuestas, relacionadas a la relación matrimonial, hay buenas noticias.

- 96 por ciento de los pastores están satisfechos con su relación conyugal.
- 70 por ciento evalúan su relación matrimonial como excelente mientras que en la población general solo un 46 por ciento (menos de la mitad) lo percibe así.
- 26 por ciento (una cuarta parte) lo consideran bueno.

De manera que los pastores reportan una mayor satisfacción matrimonial que la población general.

Al igual, los pastores se divorcian en tasas más bajas que la población general. El estudio reveló que alrededor del 10 por ciento de los pastores protestantes se han divorciado alguna vez, en comparación con más de una cuarta parte, 27 por ciento, de los adultos estadounidenses.

Por otra parte, en lo relacionado a la familia pastoral, las respuestas no son tan alentadoras. En otro estudio hecho por Barna[127] referente al estado de la fe de

---

[126] *How Healthy are Pastors' Relationships?* February 15, 2017 @ Barna.com/research/healthy-pastors-relationships/

[127] *Prodigal Pastor Kids: Fact or Fiction?* November 11, 2013. Barna.com/research/prodigal-pastor-kids-fact-or-fiction/

los hijos y las hijas del matrimonio pastoral, mayores de 15 años, se encontró que:

- 40 por ciento atravesaron un periodo en el que dudaron significativamente de su fe.
- 33 por ciento ya no están involucrados o involucradas activamente en la iglesia.
- 7 por ciento ya no se consideran cristianos o cristianas.

¿Qué dice la esposa del pastor?

En una encuesta con esposas de ministros conducida durante una conferencia de "Enfoque a la Familia" se les preguntó: ¿Cuáles eran sus retos mayores en el ministerio? Las respuestas más comunes entre estas 78 esposas de ministros fueron consistentes en estas cinco áreas:

- La soledad y el sentirse aislada - "necesito una buena amiga".
- Un balance entre la familia y la iglesia - "no hay ninguno".
- Las expectativas de los miembros de la iglesia - "siento que todos tienen un gran plan para mi vida".
- La crítica - "necesito afirmación y recibo mensajes como 'no das la medida'".
- Las finanzas - "si no trabajo, no la hacemos financieramente".

Estas áreas de desafío que identifican las esposas, y la manera como se hace la pregunta referente al estado de la fe de los hijos del pastor, anticipando que perseverarán en la fe de sus padres, comienza a discernir algunas de las particularidades de la familia pastoral.

Al considerar los retos que estas respuestas proponen nos damos cuenta de que, al salir a la esfera pública, las expectativas y las demandas impuestas al matrimonio y a la familia pastoral sobrepasan a las de los demás matrimonios y familias de la iglesia y la comunidad. En la esfera pública el matrimonio pastoral, no solo vive delante de sus suegros, familiares, vecinos, amigos y enemigos, sino que también vive su relación conyugal y familiar delante de la comunidad y de la familia de la iglesia.

Existe una tensión entre la dimensión privada del matrimonio y la familia pastoral y su expresión pública que deber ser reconocida y atendida responsablemente para que la relación matrimonial y las relaciones familiares florezcan en medio de los desafíos actuales. Pero antes, hay algunos mitos sobre los retos de la familia pastoral que debemos desmitificar.

Mitos que debemos desmitificar

1- Los pastores frecuentemente fracasan como padres.

Es importante aclarar que las familias pastorales, por buenas que sean, no están exentas de problemas. Los problemas familiares no siempre vienen por fallas o porque los padres o los hijos no sean suficientemente buenos. Ni son señales de que los padres hayan fracasado en su función. Lo que es indispensable reconocer es que hay que aceptar y manejar los cambios en la familia. Por ejemplo, los hijos y las hijas sufren cambios durante la adolescencia que se manifiestan en su cuerpo, su mente y sus relaciones. Estos cambios, como otros, requieren que en la unidad familiar se hagan otros cambios en las maneras de organizase y relacionarse. Esto requiere hacer un "cambio en marcha" que requiera agilidad y dinamismo. El fenómeno parece ser que los hijos casi siempre crecen más rápido que los padres y los padres no somos suficientemente sensibles a la intensidad de esos cambios en los hijos.

Recuerde que no importa la edad que tenga su hijo o hija siempre serán sus hijos, aunque la relación cambie con la edad. ¡Nutra la relación con sus hijos temprano en la vida, y a través de las etapas de su desarrollo, para cuando ya sean adultos no sólo tenga un hijo maravilloso o una hija espectacular, sino un amigo o una amiga!

2- ***En la familia pastoral hay problemas porque algo anda mal.***

No todos los problemas en las familias son porque "algo anda mal" o porque no están cerca de Dios, haya alguna "enfermedad", ni porque el diablo se está metiendo. Hay problemas en los hogares de familias pastorales saludables, precisamente, como una manifestación de salud, de crecimiento y de vida. Hay que desarrollar un equilibrio familiar entre mantener la identidad para proveer la continuidad y la seguridad de los miembros de la familia y, por otro lado, cambiar para adaptarse a las nuevas situaciones. Si los sistemas familiares son rígidos y no cambian viene la tensión en la familia pastoral y surgen síntomas que hay que atender. Para conseguir este equilibrio, indispensable para la unidad familiar, hay que tener la disposición de reestructurar las relaciones familiares y con la iglesia para recobrar la estabilidad. Hay que establecer límites, distribuir el tiempo y aprende a decir "NO" al síndrome del Mesías. ¡Nunca podremos ser todo para todos!

Algunos retos de la familia pastoral en su relación con la familia congregacional

Hace unos años, mientras estudiaba en el seminario, conocí a un pastor joven de una denominación histórica que había sido asignado a una tarea pastoral a tiempo parcial. Me explicó que el domingo, mientras él iba a su iglesia a oficiar el culto, su esposa iba a la iglesia católica, donde ella participaba en la misa. Él me dio a entender que la congregación que pastoreaba aceptaba esta dinámica y no tenía la expectativa de que ella fuera parte del desempeño de su ministerio ni miembro de la iglesia local.

En el contexto de la iglesia pentecostal hispana las expectativas de la esposa del pastor y de la familia pastoral son muy altas y a veces hasta irrealistas e inalcanzables. Se debe considerar que cada matrimonio y cada familia pastoral tienen una formación particular, dones y talentos diversos, así como diferentes capacidades, según la gracia que Dios quiso darle a cada una. El rabino y terapeuta Edwin H. Friedman, propulsor de la teoría sistémica, presenta una perspectiva diferente que enfatiza la normalidad de la familia pastoral. Según Friedman, el mito de que las familias nucleares de los pastores son esencialmente diferentes de las familias que componen la congregación es una desventaja para el pastor o la pastora, profesional y emocionalmente hablando.[128]

Las interconexiones entre la familia nuclear, la familia extendida y la familia congregacional, en la teoría sistémica de Friedman, puede llevar a una reciprocidad que maximiza el funcionamiento eficaz de los sistemas familiares. Friedman advierte acerca de la victimización que el énfasis en las particularidades percibidas, acerca de la familia pastoral, puede fomentar. Aunque Friedman reconoce que hay desafíos particulares que han resaltado en las familias pastorales, para él estos no son tan diferentes de las familias que pertenecen a otras profesiones. Sin embargo, nos ayuda a identificar algunos de esos desafíos al decir:

> En los últimos años se ha escrito mucho sobre el número creciente de problemas de las familias de los clérigos. Suele hacerse hincapié en

---

[128] Edwin H. Friedman, *Generación a Generación: El proceso de la familia en la iglesia y la sinagoga.* (Buenos Aires, Argentina & Grand Rapids, MI: Nueva Creación & Eerdmans Publishing Company, 1996), 382.

el aislamiento, el hecho de 'estar en la vidriera', las expectativas altas, la carga del trabajo, las mudanzas recurrentes que aumentan la inestabilidad, A todo se añade la dificultad de no tener relaciones duraderas."[129]T

De entre estos retos de la familia pastoral veamos tres que, a través de mi observación y experiencia, deben ser identificados y entendidos para responder a ellos en favor del bienestar de la familia pastoral. Esta selección de ninguna manera resta valor a los demás retos mencionados y a otros más que se pudieran considerar. Los siguientes, claramente integran los desafíos de un llamado pastoral que es compartido por toda la familia.

1. *La familia pastoral vive en una casa de cristal.*

La familia pastoral, diferente a la del cirujano, el abogado, el contratista, el pintor o el conductor, está creciendo en una vitrina a través de la cual las miradas, las opiniones, y las expectativas de mucha gente (la familia congregacional) tiene una gran influencia en la formación y desarrollo de sus hijos e hijas. Entonces, además de la influencia de los padres, la escuela, sus amistades y parientes, también reciben en sus vidas los depósitos, positivos o negativos, que les hace de la gente de la iglesia.

2. *La familia pastoral confronta expectativas altas.*

El pastor y su esposa intentan controlar a sus hijos en términos del papel congregacional de los padres. Friedman llama a esto ataduras dobles.[130] Esto crea una constante tensión en la familia que no sólo trata de

---

[129] Friedman, *Generación a Generación..., 378.*
[130] Friedman, *Generación a Generación..., 380.*

mantener la buena conducta de los hijos, sino también de mantener la imagen de los padres ante la congregación.

Para mantener la posición de familia pastoral, los padres, esposos y madres imponen en el matrimonio y en los hijos e hijas demandas muy elevadas. Esto incluye, pero no se limita a: como deben vestirse, comportarse, responder a la gente y abstenerse de participar en actividades que otros niños o jóvenes contemporáneos de la iglesia -y fuera de ella- realizan. Tales exigencias requieren la adaptación de la familia pastoral a una realidad muy demandante. Esto causa diversas reacciones y resultados en la vida de los hijos e hijas en sus diferentes etapas de desarrollo.

Una cosa que me hubiera gustado haber aprendido antes de que mis hijos crecieran es que, ante la misma situación, presión o desafío, cada hijo o hija responde de manera diferente. Muchas veces, nuestro sentido de justicia y equidad nos impulsa a tratarlos a todos, como a los miembros de la iglesia, de la misma manera (justamente). Sin embargo, tanto la literatura como la experiencia nos enseñan que, ante desafíos similares, un hijo florece y el otro se adormece, una hija brilla y otra se opaca y se retrae.

3. *La familia pastoral compite en la distribución del tiempo.*

En la familia pastoral, por la carga de trabajo del pastor o de la pastora, el tiempo de calidad es un lujo. Los pastores y las pastoras y su cónyuge tienen que conseguir el tiempo para la gente, las tareas ministeriales (predicación, enseñanza, administración, visitación, consejería, etcétera), además de para mantener una vida espiritual saludable y consagrada en tiempo con Dios a través de la oración, el ayuno, la meditación y otras disciplinas espirituales. Ante esta realidad, uno de los desafíos principales de la unidad en la familia pastoral, es separar el tiempo de calidad para compartir unidos. Friedman sí reconoce que uno de los retos de la familia pastoral, que puede ser considerado singular, es el "entramado emocional entre el trabajo y el hogar", y afirma que, en el caso de los pastores, más que en otras profesiones, los sistemas laboral y familiar se conectan con excesiva facilidad y los cambios significativos en uno de ellos puede desequilibrar al otro con mayor rapidez"[131]

Para enfrentar los retos de un llamado pastoral compartido por los miembros de la familia, es necesario la observación, el diálogo y la reflexión en el núcleo familiar. La participación de cada miembro, en un ambiente seguro y constructivo, puede fomentar una atmósfera de creatividad para que surjan estrategias de acción que respondan a los desafíos de cada familia en su contexto particular.

A continuación, ofreceré algunas sugerencias que, a mi entender, pueden contribuir a que la familia pastoral pueda funcionar con normalidad enfrentado los retos de toda familia contemporánea.

Retos de las familias contemporáneas y la familia pastoral

Como hemos visto, existen fuertes puntos de intersección entre las realidades y los desafíos de las familias pastorales y la familia contemporánea. En realidad, tanto una como la otra, conviven en el mismo espacio, tienen el mismo origen y cumplen la misma función. La familia nuclear (pastoral) es parte de una familia extendida, de la familia congregacional y de la familia de Dios.

El pastor Jorge Atiencia en su contribución al volumen, *Fundamentos bíblico-teológicos del matrimonio y la familia,* editado por el Dr. Jorge E. Maldonado, nos explica esta realidad, diciendo:

---

[131] Friedman, *Generación a Generación..., 379.*

A través de su enseñanza y práctica, Jesús amplió el significado de la palabra "familia". Según él, aunque una persona debe amar a su familia, este amor no debe tomar el lugar de su amor para Dios (Lucas 14:26). Aunque Jesús valoró a la familia humana, enseñó que hay una gran familia cuyos vínculos son más profundos. Los miembros de la familia de Jesucristo son los que hacen lo que Dios desea (Marcos 3:31-35). El amor caracteriza a esta "familia extendida" (Juan 13:34-35). El encargo de cumplir la misión va en cadena: del Padre al hijo Jesucristo, y de éste a la iglesia, esa gran familia.[132]

Por lo tanto, en nuestro acercamiento al explorar propuestas que ayuden a enfrentar los retos de la familia pastoral, podemos extender el consejo para que sea de beneficio a las familias que hoy conviven y comparten la fe en Cristo Jesús. Para la construcción de estas recomendaciones seguiré los sub-temas del pastor Atiencia sobre "La vida familiar saludable".[133]

1. *Una relación basada en amor*

Uno de los consejos más trascendentes de apóstol Pablo es: "El amor sea sin fingimiento" (Romanos 12:9). Esto se refiere a un amor que procede de un corazón puro, de una buena conciencia y de una fe no fingida (1 Timoteo 1:6). Posiblemente, en ningún otro contexto, esto es más veraz que en las relaciones familiares. Esto solo puede darse cuando la familia está bajo el Señorío de Cristo. La relación familiar basada en amor establece el marco de referencia que no solamente moldea el patrón de relación entre los

---

[132] Jorge E. Maldonado, Editor. *Fundamentos bíblico-teológicos del matrimonio y la familia.* (Grand Rapids, MI: CRC Publications & Libros Desafío, 2002) 163.

[133] Maldonado, *Fundamentos bíblico-teológicos ...*, 38.

diferentes miembros del sistema familiar, sino que, a su vez, permite el crecimiento de ellos.[134]

En una relación basada en amor, la familia pastoral puede crear lazos fuertes en la dimensión privada de sus relaciones. Primero, fortaleciendo la dirección vertical de su relación con Dios a través de las disciplinas espirituales y fomentando la formación espiritual de cada miembro de la familia. Segundo, en esa dimensión privada puede, en amor, facilitar un ambiente de sana comunicación en el cual se pueda dialogar sin amenazas y donde se ejerciten las prácticas de la reconciliación y el perdón.

En la expresión pública entonces, se pueden fortalecer los vínculos con la iglesia basados en el amor fraternal, sin fingimiento, a través del cual se puede mantener la paz y la armonía, cuidando los unos de los otros. Esa dirección horizontal, como en lo privado, ahora se trae a la plaza pública para enfrentar los retos a través de la oración, el diálogo, la reconciliación y el perdón. Lo que se vive en casa se vive también en la iglesia y la comunidad.

2. *Provisión afectiva*

La provisión de afecto trasciende los límites de lo material y cuantitativo. En la familia, contribuye al desarrollo de la identidad del ser así como al fortalecimiento de la estima propia de los hijos. Una de las manifestaciones principales de la provisión afectiva es el acompañamiento y la presencia con los miembros de la familia en momentos cruciales de la vida. Incluye estar dispuestos a compartir tiempo, recursos y satisfacer las necesidades de quienes nos rodean.

Al mirar a la Biblia, para modelar esta práctica, vemos a Jesús en su contexto familiar. Jesús es nuestro ejemplo para señalar la pertenencia y la autonomía.

---

[134] Maldonado, *Fundamentos bíblico…*, 38.

> Padre y madre están presentes en el momento de su nacimiento (Lucas 2:6); sus necesidades físicas le son satisfechas (Lucas 2:7); ambos lo rodean en el momento de crisis (Mateo 2:13; Lucas 2:41-52); hay reconocimiento y respeto por su individualidad (Lucas 2:21-38, 52); se establece una relación de comunicación que da lugar a la expresión de los sentimientos (Lucas 2:38-49); se reconoce y se maneja con discreción sus singularidades, las cuales no son motivo de distanciamiento (Lucas 2:49-50).[135]

La provisión de afecto ayuda a la familia pastoral, que a veces sufre de carencias materiales, a promover una mentalidad de abundancia en el hogar. La alegría que trae a los hijos la participación de sus padres en actividades escolares o eventos deportivos puede suplir necesidades emocionales y facilitar que se les pueda guiar a confiar en lo hermoso que es depender en Dios para suplir sus necesidades espirituales, físicas y emocionales.

Las expresiones de afecto ya sean físicas (abrazos, caricias, besos) y verbales como las palabras de afirmación o de reconocimiento son parte de la provisión afectiva. De igual manera, la solidaridad en tiempos de dificultad, dolor y pérdida fortalece los cimientos de la unidad familiar. Provistos de afecto y acompañamiento cada miembro de familia podrá enfrentar los retos que encontrará en la esfera pública sabiendo que cuenta con la aceptación y el beneplácito de su círculo familiar.

3. *Ubicación y límites*

Cada miembro de la familia tiene un lugar particular y una función que desempeñar que debe ser reconocida, afirmada y respetada. Establecer límites claros dentro del núcleo familiar, así como en sus relaciones con la familia

---

[135] Maldonado, *Fundamentos bíblico…*, 40.

extendida y la familia de la fe, es necesario para el buen funcionamiento y la salud emocional de cada miembro de la familia. La Biblia ofrece buenos consejos y dirección respecto a esto. Podemos encontrar orientación y aplicación en cuanto a la ubicación y el establecimiento de límites al examinar las historias de las familias bíblicas con el propósito de descubrir sus estructuras, sus luchas, sus esperanzas, sus crisis, sus momentos vulnerables, sus recursos sus virtudes y sus defectos.[136] De igual manera, encontramos guías en los pasajes bíblicos del Nuevo Testamento que nos hablan de los deberes familiares (Efesios 5:21-33; 6:1-4; Colosenses 3:18-21), así como en los sabios consejos del proverbista en el Antiguo Testamento.

Para la familia pastoral, por mucho de mencionado en secciones anteriores, es imperativo el entendimiento de la ubicación de cada miembro de la familia y el establecimiento de límites claros en las relaciones con la congregación.

Me parece que un aspecto que amerita una conversación particular, en el contexto pentecostal hispano, es la función de la esposa del pastor y el título para identificarla. He escuchado los términos: pastora, primera dama, obispa, ministra y misionera para referirse a la esposa del pastor. Sería bueno, antes de imponer un título o cargar con el nombre de un oficio, preguntar a la persona: ¿Cuál siente que es su función? ¿Cómo quiere que le llamemos? Sobre esto hay mucho más que explorar. Así como amerita un diálogo similar sobre el título o nombre del esposo de la pastora.

Al considerar el establecimiento y la revisión de límites apropiados en la expresión pública del ministerio pastoral es importante partir considerando nuestros

---

[136] Jorge E. Maldonado, *Aun en las mejores familias: La familia de Jesús y otras de la Biblia parecidas a las nuestras*, (Grand Rapids, MI: CRC Publications & Libros Desafío, 1999) 8.

valores y prioridades. Muchos límites se establecen a manera de reacción a situaciones que se encuentran en el camino. Por ser improvisados, no es difícil sobrepasarlos porque, por ser situacionales, no tienen permanencia y carecen de fundamento. Ante los desafíos de la familia de hoy, incluyendo a la familia pastoral, los límites que se establezcan deben tener el propósito de proteger aquello que es importante. Establecer la prioridad de lo que es importante, sobre lo que es urgente, conlleva dedicar tiempo, atención, esfuerzo y sacrificio en la edificación de una familia y un ministerio saludable.

Conclusión

El llamado de Dios siempre es a gente común e imperfecta. Por eso es por lo que haber sido adoptados en la familia de Dios es una bendición y un gran privilegio. Es sorprendente ver cómo le ha placido al Dios y fiel Creador escoger a hombres y mujeres, dentro de sistemas familiares lastimados por el pecado, pero restaurados por Su gracia, para comunicar el evangelio de Jesucristo en el poder del Espíritu Santo. Pablo describe este acto divino diciendo:

> Porque el mismo Dios que mandó que la luz brotara de la oscuridad, es el que ha hecho brotar su luz en nuestro corazón, para que podamos iluminar a otros, dándoles a conocer la gloria de Dios que brilla en la cara de Jesucristo. Pero esta riqueza la tenemos en nuestro cuerpo, que es como una olla de barro, para mostrar que ese poder tan grande viene de Dios y no de nosotros (1 Corintios 4:6-7 DHH).

Las familias pastorales son como vasos de barro en la rueda del alfarero. Los desafíos, las pruebas, las tribulaciones y hasta los fracasos son usados por Dios para perfeccionar esa olla de barro. En esas familias es que Dios quiso poner Su luz para que ellas iluminaran a otros con la gloria de Jesucristo.

Aunque el llamado principal del Señor haya sido a un pastor o una pastora, la realidad es que todos los miembros de su casa son parte del plan de Dios para manifestar Su gloria. El hogar y la familia debe ser la primera iglesia de cada pastor. A veces, antes de doctrinar y asignar tareas a nuestra familia es necesario comenzar por reconocer que nuestras decisiones y acciones familiares y ministeriales les han infligido dolor y necesitan sanidad. Un buen lugar para comenzar es con el arrepentimiento, el perdón y la reconciliación en la familia pastoral. Porque antes de salir por la puerta a llevar Su gloria, necesitamos aplicar el ministerio de amor y cuidado desde el dormitorio matrimonial hasta la sala familiar.

Por lo tanto, confiemos que, en nuestras debilidades, Dios es fuerte. En nuestro cansancio, Dios es nuestra fortaleza. En nuestra inseguridad, Dios es nuestro guía. Porque al final del camino, "ese poder tan grande viene de Dios y no de nosotros". Aquel quien te dijo: "apacienta mis ovejas" está contigo, cuida de la familia pastoral y viene pronto por Su iglesia.

Preguntas para reflexionar

1. Basados en los principios del Antiguo Testamento y el Nuevo Testamento acerca importancia de la familia ministerial, ¿cómo se pueden aplicar dichos principios a la familia ministerial contemporánea?
2. Identifique cinco maneras que el matrimonio ministerial puede fortalecer tanto el ministerio como la vida familiar sin crear conflictos. Colóquelas en orden de prioridad
   1.
   2.

    3.
    4.
    5.

3. Tradicionalmente a la esposa del pastor o al esposo de la pastora se les coloca en un rol secundario, ¿Está o no usted de acuerdo? Explique
4. ¿Si tuviera que escoger entre mi familia y mi ministerio, que escogería? Explique el por qué.
5. Desarrolle un plan sensible de formación ministerial para la familia pastoral. Sea específico.

Bibliografía

Biblia de Estudio Mundo Hispano. El Paso, TX: Editorial Mundo Hispano, 2012.

Friedman, Edwin H. *Generación a Generación: El proceso de las familias en la iglesia y la sinagoga.* Buenos Aires, Argentina & Grand Rapids, MI: Nueva Creación & Eerdsman Publishing Company, 1996.

Maldonado, Jorge E. *Aun en las mejores familias: La familia de Jesús y otras familias de la Biblia parecidas a las nuestras.* Grand Rapids, MI: CRC Publications & Libros Desafío, 1999.

_____. Editor. *Fundamentos bíblico-teológicos del matrimonio y la familia.* Grand Rapids, MI: CRC Publications & Libros Desafío, 2002.

Polischuk, Pablo. *El consejo terapéutico: Manual para pastores y consejeros.* Barcelona, España: Editorial CLIE, 1994.

Rodríguez, José D. *La vocación.* Nashville, TN: Abingdon Press, 2009.

Recursos en línea:

How Healthy are Pastors' Relationships? Consultado el 15 de febrero de 2017. http://Barna.com/research/healthy-pastors-relationships/

Prodigal Pastor Kids: Fact or Fiction? Consultado el 11 de noviembre de 2013.

La singularidad y normalidad

http://Barna.com/research/prodigal-pastor-kids-fact-or-fiction/

Capítulo 8

Cuando los que cuidan están fatigados

Víctor A. Tiburcio Peguero[137]

[31] Él les dijo: —Venid vosotros aparte, a un lugar desierto, y descansad un poco.
(Eran muchos los que iban y venían, de manera que ni aun tenían tiempo para comer.)
Marcos 6:31.[138]

Introducción

El llamado al ministerio es el más honroso oficio al que se pueda dedicar el ser humano. Pero a la vez, es el que tiene las más altas demandas éticas y morales de todos los

[137] Obispo de la Iglesia y Ministerios Aliento de Vida, NY. PhD (candidato), Midwestern (MBTS), Kansas City, Missouri. Maestría en Consejería Bíblica (SBTS), Kentucky. MA en Estudios Teológicos Cristianos, (SEBTS), North Carolina. Postgrado en Matrimonio y Familia, Universidad Internacional de Catalunya (UIC), Barcelona, España. Certificado en Traumatología, University of South Florida (USF).

[138] Al menos que se indique lo contrario, todas las citas bíblicas de este capítulo han sido tomadas de la Reina-Valera 1995.

quehaceres o vocaciones existentes. La vida de servicio a Dios y su iglesia es sumamente exigente, compleja y en ocasiones poco remunerada, aunque es la que tiene las más grandes promesas divinas de recompensas eternas. (Mateo 19:27-30).

Pero, sin lugar a duda, atender a ese llamamiento es una de las mayores fuentes de gozo para aquellos que lo han experimentado. Su ejercicio requiere de un constante balance entre atender lo sagrado, la iglesia, la familia y a uno mismo, aunque las necesidades son tantas que, la mayoría de los pastores y líderes terminan desequilibrando la balanza, casi olvidándose de los dos últimos factores, y quizás es por ello por lo que las investigaciones y estadísticas de los últimos años dicen que entre un 42 y un 70 % de ellos están tan cansados que están abandonando o han pensado dejar el ministerio.[139]

Pero esta tensión parece ser tan vieja como el ministerio mismo. Lo podemos ver con claridad en las siguientes muestras, tanto del Nuevo como del Antiguo Testamento. En la vida de la iglesia, Pablo es uno en quien observamos un ejemplo clásico de la intensa vida misionera, en 2 Corintios 11:27-29: "En trabajo y fatiga, en muchos desvelos, en hambre y sed, en muchos ayunos, en frío y desnudez. [28] Y además de otras cosas, lo que sobre mí se añade cada día: la preocupación por todas las iglesias. [29] ¿Quién enferma y yo no enfermo? ¿A quién se le hace tropezar y yo no me indigno?".

El apóstol de los gentiles nos está mostrando dos grandes áreas en las que él tuvo que experimentar en carne viva lo que hoy se llama el estrés, la presión del ministerio, cuando se está en la primera línea de combate: La fatiga física y el peso emocional resultante de la preocupación

---

[139] Investigación realizada entre 1989 y 2006, por R. J. Krejcir PhD. Francis A. Schaeffer Institute of Church Leadership Development. Accedida el 23 de octubre 2023. http://www.truespirituality.org/ y Barna Group, por separado.

por lo que sucede en las iglesias. Esta es una evidencia clara de que los pastores responsables tienen que hacer su parte trabajando sabia y valientemente, esforzándose; aunque la otra parte la hará Dios haciendo que su obra prospere.

El mismo Señor Jesucristo, mientras realizaba su trabajo aquí en la tierra, muchas veces se fatigó físicamente y nos da una lección de qué hacer ante esa situación, Él descansó: "Y estaba allí el pozo de Jacob. Entonces Jesús, **cansado** del viaje, **se sentó** junto al pozo. Era como la hora sexta" (Juan 4:6). Posteriormente, superada otra jornada sumamente agotadora, en la que casi no tenían tiempo ni para comer… "Jesús les dijo: «Vengan conmigo ustedes solos, a un lugar apartado, y descansen un poco.» Y es que tanta gente iba y venía, que ellos no tenían tiempo ni para comer". (Marcos 6:31).

Pero la experiencia de Moisés es probablemente la más extrema que encontramos en la Biblia (Éxodo 18:13-26). Él es el típico modelo veterotestamentario de un pastor profundamente apasionado por Dios, compasivo y comprometido con su pueblo. Éste es el hombre con quien Dios hablaba cara a cara, el instrumento que el Todopoderoso usó para enviar las Plagas a Egipto, dividir el Mar Rojo, y muchas cosas más; pero en algún momento estaba tan centrado en su labor y celo pastoral que, desde que el día iniciaba hasta que se ponía el sol permanecía absorto solo en ello. Sin tiempo para su familia ni para sí mismo.

Para muchos él sería el "pastor que huele a ovejas", pero a punto de colapsar física, mental y familiarmente por el enorme cansancio resultante de que aún no tenía en claro sus prioridades. Guiado por el Señor, su suegro Jetro, le dio un excelente consejo y plan de prioridades: "Esto que haces no está bien, pues **te cansarás**[140] tú, y también este pueblo. Este trabajo es demasiado pesado para ti, y no

---

[140] Énfasis añadido.

vas a poder hacerlo tu solo". En resumen, le marcó tres áreas en las que debía desarrollar su plan de trabajo:

1. Orar e interceder por el pueblo.
2. Enseñarle la Palabra al pueblo
3. Escoger y entrenar líderes que trabajen con grupos de 10, 50,100 y 1000 personas, dejando que ellos se encargaran de todo asunto pequeño o no tan complejos, y que los casos grandes o complicados se los trajeran a Moisés. Esos líderes debían estar allí, principalmente para servir a Dios quitándole cargas a Moisés. De hecho, este plan fue perfectamente entendido por los apóstoles en Hechos 6:1-5, ya que ellos dijeron que no estaban dispuestos a dejar la oración y el ministerio de la Palabra para dedicarse a servir las mesas, razones suficientes para dar paso a la delegación de funciones en otros discípulos entrenados para que hicieran ese importante trabajo.

La Biblia registra otro importante momento en el que Moisés, ya más maduro en su liderazgo, se cansó grandemente, pero encontró y aceptó ayuda directa en Aarón y Hur, en una guerra en la que Josué y el ejército peleaban la batalla física, mientras el pastor y legislador luchaba en oración por la victoria en el campo de batalla visible. En Éxodo 17:11-13 dice que, "y sucedía que cuando alzaba Moisés su mano, Israel vencía; pero cuando él bajaba su mano, vencía Amalec. 12 Como las manos de Moisés se cansaban, tomaron una piedra y la pusieron debajo de él. Moisés se sentó sobre ella, mientras Aarón y Hur sostenían sus manos, uno de un lado y el otro del otro; así se mantuvieron firmes sus manos hasta que se puso el sol. 13 Y Josué deshizo a Amalec y a su pueblo a filo de espada".

Más adelante, David, el rey guerrero que venció a Goliat, se vio a punto de morir bajo las garras de otro gigante llamado Isbibenob, que se aprovechó de su

cansancio acumulado por la batalla de los años, aunque Dios le libró por vía de Abisai, uno de sus valientes escuderos (2 Samuel 21:15-17). Desde luego que el equipo del también salmista tomó una decisión muy sabia que deben imitar muchas iglesias y ministerios de este tiempo: "De ahora en adelante, no volverás a salir con nosotros a la guerra; no sea que se apague la luz que ilumina a Israel".

Ellos se dieron cuenta que David estaba envejeciendo y que era necesario darle más asistencia para que se dedicara a lo fundamental y también para que tuviera mejor calidad de vida, mientras ellos hacían las otras cosas. Lamentablemente muchas congregaciones no entienden este principio y exigen que sus pastores, aun en condiciones físicas delicadas, estén haciendo cosas que bien podrían hacer otros voluntarios y de esa manera evitarles caer en el deterioro físico y hasta mental.

Aunque siempre ha sido normal que necesitemos descanso tras realizar alguna tarea de envergadura, en el lenguaje de los estudiosos de hoy, hay algunas diferencias entre cansancio y fatiga. Para la mayoría de los expertos el cansancio es el resultado de un gran esfuerzo físico o mental, pero la fatiga conlleva adicionalmente falta de energía y motivación para hacer determinadas cosas y es en este último aspecto donde las alarmas están sonando fuertemente en la vida del liderazgo eclesiástico.

Las estadísticas hablan

Los estudios e investigaciones de los últimos años dicen una y otra vez que la mayoría de los pastores y líderes eclesiásticos se sienten muy agotados y solitarios, por lo que muchos están renunciando:

- Cada mes, en los Estados Unidos, aproximadamente 1,500 pastores dejan el ministerio.[141]
- La misma investigación dice que: El "70% de los pastores han pensado alguna vez dejar el ministerio…". El 90% trabaja más de 50 horas a la semana.
- El 42% desea abandonar porque están muy cansados y agotados. El 56% porque están estresados. 43% se sienten muy solos y aislados.[142]
- 50% de los pastores en Puerto Rico están propensos a sufrir de agotamiento extremo (SAE) porque se sienten agotados y ansiosos.[143]
- El 45% de las esposas de pastores dicen que el peligro mayor para ellas y el resto de la familia es el agotamiento físico, emocional y espiritual. Añaden que la agenda pastoral es una fuente de conflicto. El 56% no tiene amiga íntima. [144]
- En el año 2013, un trabajo realizado por Clergy Health Initiative (CHI) mostró que el ministerio pastoral es una de las ocupaciones más tensas de las que existen en la sociedad moderna. Muchos han sido diagnosticados con depresión y con ansiedad.

---

[141] Francis A. Schaeffer Institute of Church Leadership Development. Consultado el 23 de octubre 2023. http://www.truespirituality.org/

[142] Barna Group, 22 al 27 de enero del 2021 y entre el 10 al 16 de marzo del 2022. Consultado el 23 de octubre, 2023. https://www.barna.com/resesrch/pastors-quittng-ministry/

[143] "Pastores en riesgo de sufrir agotamiento". Primera Hora, PR. 23 de marzo,2008. Accedido 23 de octubre 2023. https://www.primerahora.com/noticias/puerto-rico/notas/pastores-en-riesgo-de-sufrir agotamiento/.

[144] H. B. London, Jr. y Neil B. Wiseman, *Pastores en alto riesgo*, (Miami, FL: Editorial Unilit, 2005), 126.

- Tres de cada cinco sacerdotes católicos, de casi 900 encuestados en el 2009, se encuentra mediana o gravemente desgastado. En Francia ese número se eleva al 83% de fatiga elevada o débil. En Brasil, en el 2018, 17 sacerdotes católicos se suicidaron. En el 2021, 10 se quitaron la vida. [145]

¿Fatiga por Compasión?

Luego de los ataques terroristas del 911, en el 2001, muchas universidades elaboraron planes de auxilio para hacer frente a la tensión provocada por esos terribles eventos traumáticos y ofrecieron entrenamiento a todos los que estaban en primera línea atendiendo y cuidando a los miles de traumatizados de la ciudad de New York. En esa ocasión tuve la oportunidad de recibir un excelente entrenamiento certificado en traumatología, durante un año de teorías y cientos de horas de prácticas. Fue allí cuando escuché por primera vez, del concepto Fatiga por Compasión, que originalmente fue acuñado por Carla Joinson. Ella lo definió como "una forma única de agotamiento que afecta a las personas que se dedican al cuidado de los demás…resultando en la pérdida de la capacidad de cuidar a las personas caracterizadas por apatía y cinismo".[146]

El especialista Charles R. Figley dice que es "un estado de agotamiento y disfunción biológica, fisiológica y emocional, como resultado de una exposición prolongada al *estrés de la compasión*".[147] En otras palabras, todo el

---

[145] Helena López de Mezerville, "*Sacerdocio y burnout*", (Madrid, España: San Pablo, 2012), 7.

[146] C. Joinson, "Coping with compassion fatigue", Nursing, 22, 1992)116. Revista Nursing, consultado el 25 de octubre, 2023: https://www.elservier.es-revista-nursing-20-articulo-fatiga-por compasión-el-precio-

[147] Charles R. Figley, "Compassion Fatigue", (New York, NY: Routledge Taylor & Francis Group, 2015), 7 - 9.

personal médico y de emergencias, especialmente las enfermeras, sin dejar de lado a los psicólogos, terapeutas, consejeros, pastores, sacerdotes, capellanes, bomberos, policías, etc. Todos aquellos que se exponen frecuentemente a ver, escuchar o sentir el dolor y la desesperación de las personas en situaciones y eventos traumáticos de manera directa o indirecta como la muerte, la enfermedad, accidentes; desastres naturales, fuegos, problemas psicológicos y espirituales, etc.

De acuerdo con la literatura especializada,[148] las siguientes son algunas características de la fatiga por compasión:

- Cansancio, agotamiento físico, psicológico, emocional prolongado que no cesa con el descanso normal, acumulado progresivamente, acompañado de dolores y diversas molestias (cefaleas y tensión muscular) en ocasiones problemas digestivos, falta de sueño.
- Reducción de la productividad laboral, aumento de errores laborales, evitar atender a determinadas personas. Malestares, insatisfacción por el trabajo.
- Tristeza, apatía, impotencia y frustración, mal humor, pérdida del gozo, depresión. Poca concentración y afectación de la memoria y lo relativo al aprendizaje (cognitividad), ansiedad, etc.
- Desinterés y aislamiento. Pérdida de la atracción por actividades y cosas que antes eran disfrutables. Deseos de cambiar de ocupación. El celular les causa más estrés.
- Baja en la oración y las cosas espirituales. Cambios de la cosmovisión o espiritualidad. Se contempla un panorama poco esperanzador.

Deborah A. Boyle diferencia la Fatiga por Compasión del Síndrome del Desgaste Profesional, señalando que,

---

[148] Devorah A. Boyle, "Fatiga por compasión: "El precio de la atención", Revista Nursing.

éste se asocia a factores estresantes del entorno laboral como los desacuerdos y choques con el jefe, la falta de compañerismo, jornadas laborales extensas, y malas condiciones laborales, etc. Pero la fatiga por compasión mayormente tiene sus raíces en el estrés que sufren los cuidadores por sus relaciones con aquellos a los que cuidan y sus familias. La Traumatización secundaria (ETS) es otro término que en muchos casos es sinónimo de la FC, pero que le ocurre a los que, aunque no sean sufridores primarios del suceso, pueden convertirse en víctimas secundarias porque pueden verse sobrecargados de lo que observan o escuchan a otros. Como parte de esta familia de flagelos similares esta la Traumatización vicaria (TV).[149]

En cada una de las profesiones u oficios que se dedican a cuidar a los que sufren, se necesita algún nivel de empatía y compasión hacia el que sufre, pero si es a un nivel crónico, puede provocar una carga emocional un tanto difícil de procesar. Para Figley, la teoría de la FC indica que somos más vulnerables a ella, mayormente a causa de un mayor nivel de empatía y nuestra exposición o involucramiento con el que padece alguna dolencia o desventura.[150]

La empatía, en los términos más simples, es meterse en la piel de otra persona o ver el mundo como otros lo ven, es "comprender lo que siente la otra persona, sin experimentarlo... Conlleva penetrar en el marco de referencia interno de otros, comprendiendo su mundo y llegando a conocer la visión que tiene de sí misma".[151] En otras palabras, es esa capacidad de comprender lo que sienten los demás poniéndonos en sus zapatos, en su situación, con el propósito de ayudarles a superar su

---

[149] Babette Rothschild, *Ayuda para profesionales de la ayuda* (Bilbao, España: Editorial Desclée De Brower, 2006), 27.

[150] Figley, *"Compassion Fatigue"* ..., 15.

[151] David J Atkinson y David H Field, *"Diccionario de Ética Cristiana y Teología Pastoral"* (Barcelona, España: Editorial Clie, 2004), 520.

condición. Es pararse al lado del otro y decirle: Yo veo, escucho y siento lo que estas viviendo y me propongo ayudarte a superarlo si tú y Dios me lo permiten, dentro de mis limitaciones humanas.

Eso implica, por supuesto, la compasión por los que sufren o pasan por momentos o situaciones difíciles. Compasión significa "la emoción que se experimenta cuando una persona se conmueve frente al sufrimiento ajeno compartiendo su padecimiento con el propósito de aliviarlo…Conlleva un acto de hacer y no solo decir".[152]

Desde luego, todas estas definiciones describen en gran medida el trabajo pastoral, el cual implica una diversidad compleja de papeles a desempeñar como maestros, predicadores, líderes espirituales que modelan una conducta ejemplar, consejeros, administradores, padres para toda una comunidad de gente que muchas veces no ha sabido lo que es paternidad amorosa. En ese sentido, Edwin Friedman señala que los clérigos tienen que moverse o trabajar entre tres familias: La suya, las de la iglesia y la iglesia como una familia, lo cual añade otros niveles de responsabilidades que otros profesionales difícilmente enfrenten.[153] Los pastores, capellanes y demás líderes de la iglesia son cuidadores misericordiosos.

Ellos son los primeros en recibir la llamada cuando alguien muere en la comunidad, cuando hay problemas en los matrimonios o con los hijos. Cuando se requiere alguna orientación, cuando las cosas no marchan bien para alguien o simplemente cuando una o varias de las ovejas del redil o un residente de la comunidad necesita ayuda de algún tipo.

Todos estos roles demandan una gran identificación compasiva con las personas desde que nacen, conectándose con sus padres y con ellos antes, durante y

---

[152] Atkinson y Field, "Diccionario de Ética Cristiana y Teología pastoral", 343.

[153] Edwin H. Friedman, *Generación a generación* (Grand Rapids, Michigan: Nueva Creación, 1996), 11.

después de la ceremonia de presentación del bebé. En las acciones de gracias por los triunfos alcanzados como las graduaciones, la apertura de un negocio, la compra de una casa para bendecirla. Pero, sobre todo, la mayor identificación compasiva es durante los momentos duros y tristes de la frustración, la enfermedad, la muerte.

La pastoral trabaja levantando al caído, alentando al desanimado, impartiendo visión de salvación y consuelo frente a las adversidades. Por ello la identificación afectiva y compasiva, regularmente es muy fuerte en el ministerio pastoral y es aquí donde puede estar la trampa o la victoria.

Satisfacción por compasión (SC)

La satisfacción por compasión (SC), es uno de los grandes beneficios de prestar ayuda y cuidar a los necesitados, y en el caso de los pastores y líderes eclesiásticos, el de cuidar las ovejas del rebaño. De hecho, mientras más satisfacción tengamos por la labor que realizamos, menos será la fatiga por compasión. Figley dice que la satisfacción es el sentimiento de logro derivado del esfuerzo por ayudar a otra persona. Eso por supuesto, ayuda a que podamos enfrentar las situaciones traumáticas y difíciles del ministerio, sin tener que caer en la depresión o la extrema ansiedad.

Bíblicamente hablando, la satisfacción por compasión es el gozo resultante de hacer la voluntad de Dios, dando la mano al caído, cuidando de los débiles y enfermos, alimentando a los hambrientos, dando de beber a los sedientos, albergando a los desamparados, consolando a los que sufren, escuchando, instruyendo, orientando y aconsejando y formando discípulos, etc. Ese gozo aumenta nuestra capacidad para hacer frente a las adversidades y a no rendirnos. El mismo Señor Jesús nos da el ejemplo "...El cual, por el gozo puesto delante de ÉL, sufrió la cruz..." (Hebreos 12:2).

La compasión y la empatía requieren una participación como manda Romanos 12:15 "Gozaos con los que se gozan; llorad con los que lloran". Estos dos factores acompañados por la pasión genuina por Dios y Su Palabra, con la llenura del Espíritu Santo, son imprescindibles para ejercer un buen ministerio de cuidadores. Ellos están implícitos cuando Jesús le pide a Pedro que pastoree las ovejas (Juan 21:15-19), por lo que, si conservamos una viva pasión por el Señor, manteniéndonos en una búsqueda diaria de su presencia, alimentándonos adecuadamente con las Escrituras y santificando nuestras vidas, experimentaremos mejores niveles de satisfacción en el Señor, y será casi imposible que terminemos mal esta carrera.

Noticias alentadoras

La satisfacción por compasión es, probablemente, la razón por la que un 83% de todos los ministros encuestados por Barna Group, dijo que no renunciará porque creen en el valor de su ministerio y el 75% ratificó que se mantendrán obedeciendo su llamado ministerial, mientras que el 73% señala estar satisfecho con su asignación ministerial y por lo tanto no renunciarán.

La psicóloga clínica Heide L. Rodríguez Ubiñas y el sociólogo José Rodríguez Gómez, conductores de la investigación publicada por el diario Primera Hora, dijeron acerca de los pastores y líderes consultados que, "el trabajo los satisface, porque ellos se sienten realmente seleccionados por el Señor, y es una protección contra los factores de estrés y tensiones".
Aunque no dejaron de reconocer que es un trabajo muy demandante, que pone en riesgo muchas veces la salud mental, por sus responsabilidades, tareas, y manejo en términos de personas y situaciones de alta tensión.

La sobrecarga y desconexión letal de algunos ministros

Ayudar a cuidar y servir a los demás es una de las cosas más satisfactorias, pero ayudar sin tomar tiempo para recargar bien las baterías y recuperarnos ante las reiteradas pérdidas, escenas de dolor y sufrimientos de los que se es testigo, puede ser fatal y con efectos acumulativos que ameritan alguna pausa para procesar la fatiga y la sobrecarga potencialmente letales para muchos cuidadores, y en especial para los ministros.

Las cosas pueden ser peores si los días pasan y cada vez crece más la frustración por factores como: Los conflictos congregacionales, la falta de arrepentimiento de la gente y el poco progreso espiritual e integral de la comunidad de fe, sin descartar la complicación que trae el pecado personal sin arrepentimiento, sumado a la falta de conexión con Dios por el descuido de la oración, el poco estudio y meditación frecuente en la Biblia, justificado supuestamente porque se está tan ocupado en la obra, que no hay tiempo para el Dios de la obra, lo cual es uno de los mayores errores en los que pueden caer los clérigos.

No olvidemos que la razón principal por la que Jesús llamó a sus discípulos fue para que estuvieran con ÉL o pasaran tiempo con ÉL y luego para enviarlos a predicar, sanar enfermos y echar fuera demonios (Marcos 3:14-15). Pasar tiempo en la presencia del Señor es un factor que facilita la llenura del Espíritu, lo cual, en estas circunstancias puede ser la diferencia entre la vida y la muerte: "Buscadme y viviréis" (Amós 5:4). Es en su presencia que encontraremos plenitud de gozo" (Salmos 16:11). "...No os entristezcáis, porque el gozo de Jehová es vuestra fuerza" (Nehemías 8:10). Permanecer conectados a ÉL nos permitirá hacer su voluntad y renovarnos cada día (Juan 15:4-7).

En este punto se abre una ventana sumamente sensible, delicada y pocas veces tratadas en nuestras comunidades de fe: La concerniente a las consecuencias que pueden derivar cuando los encargados de cuidar el rebaño se sumergen totalmente en su trabajo con algunos o la totalidad de los síntomas que hemos señalado hasta ahora, alejándose de los demás, sintiéndose sobrecargados, traicionados, sin descansar apropiadamente ni buscar ayuda.

Un caso bíblico muy grave es el del profeta Elías, quien terminó tan exhausto en una de las etapas de su vida ministerial que, muy a pesar de ser uno de los más destacados hombres de Dios, en plena cosecha de grandes victorias y siendo instrumento de extraordinarios prodigios, milagros y maravillas del Señor, tuvo una crisis tan grande que, torpemente deseó la muerte como producto del agotamiento, el estrés, las amenazas de muerte que le hicieron sus adversarios y la probable deshidratación por la insolación que había padecido en el desierto; factores que evidentemente afectaron su comprensión de la realidad y su manera de pensar.[154]

> [3] Viendo Elías el peligro, se levantó y se fue para salvar su vida. Al llegar a Beerseba, que está en Judá, dejó allí a su criado. [4] Luego de caminar todo un día por el desierto, fue a sentarse debajo de un enebro. Entonces se deseó la muerte y dijo: «Basta ya, Jehová, quítame la vida, pues no soy yo mejor que mis padres.» [5] Y echándose debajo del enebro, se quedó dormido; pero un ángel lo tocó, y le dijo: «Levántate y come.» [6] Miró y vio a su cabecera una torta cocida sobre las ascuas y una vasija de agua; comió, bebió y volvió a dormirse. (1 Reyes 19:3-5).

---

[154] Varios estudios muestran que la deshidratación, especialmente por insolación, está asociada a la confusión mental, fatiga y ansiedad con ataques de pánico que dificultan la concentración o no tener un pensamiento claro, y la depresión. Healthline, accedido en noviembre 10, 2023. https://www.healthline.com/health/es/deshidratacion-y-ansiedad#hidratacion-y-estado-de-animo/.

Otra muestra de explosividad emocional y ofuscación mental temporal es Jonás, el profeta que, aunque al principio resistió el llamado celestial, al final fue forzosamente a Nínive y allí logra con la ayuda del Espíritu Santo, que toda esa multitud se arrepintiera y se volviera al Dios de Israel. Pero su egoísmo, enojo y agotamiento por otra posible insolación, lo llevaron a también pedirle a Dios, en dos ocasiones, que le quitara la vida:"Ahora, pues, Jehová, te ruego que me quites la vida, porque mejor me es la muerte que la vida. [4] Pero Jehová le respondió: —¿Haces bien en enojarte tanto? Y aconteció que, al salir el sol, envió Dios un fuerte viento del este. El sol hirió a Jonás en la cabeza, y sintió que se desmayaba. Entonces, deseando la muerte, decía: —Mejor sería para mí la muerte que la vida". (Jonás 4:3-4).

Aunque en estos dos casos, observamos afectación de la cognitividad a causa de la gran fatiga física, mental y espiritual, por la insolación, el hambre y otros detalles adversos; debemos dar gracias a Dios porque ellos nunca atentaron contra sus vidas, aunque le rogaron a Dios que se la quitara. La razón es que ellos estaban muy claros en que atentar ellos contra su propia vida no es coherente con alguien que conoce al Dios de la vida.

Pero lamentablemente, en estos tiempos postmodernos y de relativismo teológico y ético, están apareciendo cada vez más casos de ministros que bajo el agotamiento crónico, la depresión y otros flagelos, se están suicidando. Es cierto que en la Biblia aparecen varios casos de suicidios como el de Judas (Mateo 27:4-5), Ahitofel (2 Samuel 17:23), Saúl y su escudero (1 Samuel 31:4-5), Zimri (1Reyes 16:18) y otros. Pero nunca debemos soslayar que todos estos casos tienen una connotación negativa, o sea, sus autores no terminaron bien. Por lo que sería bastante irresponsable pasar por alto lo que Dios prohíbe en el sexto mandamiento que dice: "No matarás", porque eso también lo incluye a uno mismo.

El suicidio es el acto voluntario e intencional de quitarse uno mismo la vida con connotaciones extremadamente negativas y que la cultura judeocristiana siempre ha rechazado.[155] Es homicidio de la propia persona. Esa palabra procede del latín, *"sui"* (a uno mismo), y *caedere,* (matar). Es el deseo de, y la acción conducente al aniquilamiento propio.[156]

Agustín, el gran teólogo de la antigüedad, en su obra *La Ciudad de Dios,* hace una dura y amplia crítica en torno al tema diciendo que, entre otras cosas, "la Ley, bien interpretada, prohíbe el suicidio, donde dice la Escritura "No matarás", cuánto más se debe entender que no es licito al hombre el matarse a sí mismo…en el caso del suicidio es muy improbable que uno se arrepienta".[157] En ese sentido el Catecismo Mayor de Westminster, en su pregunta 136 dice "los pecados prohibidos por el Sexto Mandamiento son el arrebatamiento de nuestra propia vida…". Ese mismo Catecismo en su versión Menor dice: "El sexto mandamiento prohíbe quitarse la vida uno mismo o quitarla a nuestro prójimo injustamente…".[158]

Algunas recomendaciones ante el agotamiento crónico de los clérigos

Hay esperanza, no todo está perdido y Dios quiere ayudarle, pero debe admitir que necesita la ayuda del Altísimo, de los que le rodean y probablemente, de algún especialista. Independientemente de que acepte o no las

[155] Monique Canto-Sperber, "Diccionario de ética y filosofía moral", Tomo II, (Distrito Federal, México: Fondo de la Cultura Económica, 2011), 1556-1557.

[156] Gary P. Stewart, *Suicidio y eutanasia*, (Gran Rapids, Michigan: Editorial Portavoz, 2000), 13.

[157] Agustín de Hipona, *La Ciudad de Dios*, (Middletown, DE: Plaza Editorial, 2016), 23-32.

[158] *Catecismo menor de Westminster*, (Guadalupe, Costa Rica: Editorial CLIR, 2009), 67.

teorías traumatológicas, la fatiga ministerial sí es una realidad y por ello se recomiendan las siguientes medias de cuidado pastoral a los pastores:

1. Busque la ayuda del Señor. Saque tiempo para volverse a ÉL por medio de la oración, lo que debe incluir arrepentimiento y humillación. Además, haga suyas las promesas de la Palabra de Dios. A Moisés le dijo: "Mi presencia te acompañará y te daré descanso...". (Éxodo 33:14). Deposite en las manos del Señor todas sus preocupaciones y frustraciones: "Echad toda vuestra ansiedad sobre ÉL, porque ÉL tiene cuidado de vosotros", (1 Pedro 5:7). No se angustie más: "Por nada estéis angustiados, sino sean conocidas vuestras peticiones delante de Dios en toda oración y ruego, con acción de gracias. Y la paz de Dios, que sobrepasa todo entendimiento, guardará vuestros corazones y pensamientos en Cristo Jesús". Filipenses 4:6-7. Sepa esperar en el Señor: "Los muchachos se fatigan y se cansan, los jóvenes flaquean y caen; [31] más los que esperan en Jehová tendrán nuevas fuerzas, levantarán alas como las águilas, correrán y no se cansarán, caminarán y no se fatigarán", Isaías 40:30-31.
2. No se quede callado, dígales a sus seres queridos y al equipo de trabajo que le acompaña o del que usted forma parte, cómo se siente. Permita que ellos, como el equipo del rey David, inmediatamente elaboren un plan de acción para ayudar a su líder y que de esa manera se pueda recuperar y no volverlo a exponerse a peligros innecesarios.
3. Visite su médico, y especialmente busque ayuda de algún profesional de la conducta, si es posible, que sea cristiano y de un consejero bíblico que le

puedan orientar en cómo recuperarse física, mental y espiritualmente.

4. Descanse y coma adecuadamente. Esta es la receta que se le dio al profeta Elías. Duerma por lo menos siete horas diarias y coma cosas más naturales y frescas con menos azúcares y menos grasas. Deseche los enlatados, etc.
5. Salga a caminar con su pareja, al menos media hora diaria y mejor si lo hace cinco días a la semana.[159] Haga ejercicios ligeros. Mover el cuerpo contribuye a sanar la mente.[160]
6. Saque tiempo especial e intencional para compartir más con su esposa y familia (hijos, nietos, etc.). Procure reparar esas relaciones porque al hacerlo eso le dará vigor para superar cualquier crisis de salud o ministerial. Haga cosas divertidas con ellos, etc.
7. Busque a sus amigos, especialmente en el ministerio con los que pueda hablar y compartir experiencias. Póngase de acuerdo con otros ministros para que formen un grupo pequeño y entre todos se rindan cuentas y oren unos por otros, así todos se ayudarán mutuamente.
8. Tenga un enfoque claro de lo que debe hacer en su ministerio o iglesia. Repase las prioridades que Jetro le marcó a Moisés y hágalas suyas. Así tendrá más claridad en cuanto a sus prioridades ministeriales y ralentice un poco su ritmo, no se

---

[159] "Caminar rápido 150 minutos a la semana reduce la mortalidad en personas que llevan décadas inactivas | Salud y bienestar"/ EL PAÍS. 25 de octubre, 2023.

[160] La silla: El peor enemigo del ser humano". Un estudio de la Universidad del Sur de California dice que estar sentado un promedio de 10 horas al día aumenta el riesgo de demencia, deteriorando nuestra mente y en ese caso ni siquiera el ejercicio es capaz de protegernos si permanecemos demasiado tiempo sin levantarnos de la silla. ABC. España. Viernes 17 de noviembre, 2023.

acelere tanto. Haga cosas más intencionales con menos energías, pero con más sabiduría.

9. Delegue sobre los discípulos cosas en las que no es imprescindible que usted esté a cargo. Entrénelos, deposite confianza en ellos. Reconozca que es probable que, como en el caso del Señor, la gran mayoría serán fieles.
10. Si no lo hacía, tome su tiempo de vacacionar, para descansar y salir de la rutina.
11. Invite algunos conferencistas que creen conciencia en la iglesia para que aprenda que el cuidado pastoral también debe incluir cuidar a los que cuidan.
12. Vuelva a actualizarse leyendo, participando de talleres y capacitación al alcance.
13. A nivel institucional: Iglesias y denominaciones:
    - Crear un comité interdisciplinario de cuidado para los cuidadores, que se encargue de prevenir y prestar ayuda a los que ya están pasando por ese "valle de sombras de muerte". Que haya gente especializada para procurar la recuperación de lo fatigados.
        - Crear más conciencia en torno a estas situaciones que viven los que cuidan el rebaño, con diversos seminarios y conferencias.
        - Procurar que las iglesias locales tengan más entendimiento del tema para disminuir el nivel de beligerancia en los conflictos y se dé un trato más cuidadoso a sus pastores.
        - Reglamentar esta temática como una de las materias a estudiar o mínimamente como parte de las asignaturas que se imparten en las universidades, seminarios e institutos bíblicos de las diferentes congregaciones y denominaciones.

Conclusión

Si mantenemos y cultivamos diariamente la pasión por el Señor y balanceadamente la empatía y compasión por el rebaño y los necesitados; puede que nos cansemos y extenuemos. Pero no seremos tragados por la fatiga por compasión, el sufrimiento vicario o el estrés traumático secundario y mucho menos llegaremos a la insensatez de atentar contra nuestra propia vida.

Aunque el ministerio es fascinante para los que verdaderamente son llamados por el Señor, es necesario hacer pausas estratégicas como las hizo Jesús con sus discípulos para llevarlos a un lugar apropiado donde pudieran descansar y así recuperarse de la fatiga del ministerio. De igual manera, las denominaciones y congregaciones de cualquier tamaño deberían tener por lo menos un comité o algunas personas entendidas que cuiden a los que cuidadores con el fin de prevenir, orientar y ayudar a estos hombres y mujeres tan valiosos, llamados a pastorear el rebaño.

Preguntas para reflexionar

1. ¿Se fatigó Jesús durante su ministerio? Explica
2. ¿Quién es uno de los ejemplos más extremos acerca de la fatiga que menciona el Antiguo Testamento y cuál es el consejo que le da su suegro para evitarla?
3. En general, ¿Qué dicen las estadísticas de los pastores y líderes eclesiásticos?
4. ¿Qué es la fatiga por compasión y la satisfacción por compasión?
5. Menciona cinco recomendaciones ante el agotamiento crónico de los clérigos. Explica en tus propias palabras.

Bibliografía

Atkinson, David J y Field, David H. *Diccionario Ética cristiana y Teología pastoral*, Barcelona, España: Editorial Clie, 2004.

Brister, C. W. *El cuidado pastoral en la iglesia*, El Paso, TX: Casa Bautista de Publicaciones, 1991.

Cagnoni, Federica y Milanese, Roberta, "*Cambiar el pasado, superar las experiencias traumáticas con la terapia estratégica*", Barcelona, España: Herder Editorial, 2019.

Canto-Sperber, Monique. *Diccionario de ética y de filosofía moral*. Tomo II. México, DF: Fondo de la Cultura Económica, 2001.

Carrión, Victor G. *Terapia de claves traumáticas*. Barcelona, España: Editorial Gedisa, S.A.2018.

Clinebell, Howard. *Asesoramiento y cuidado pastoral*. Grand Rapids, Michigan: Libros Desafío, 1999.

De Hipona, Agustín. *La ciudad de Dios*, Middletown, DE: Plaza Editorial, 2016.

Eyer, Richar C. *Cuidado pastoral*. Saint Louis, Missouri: Editorial Concordia, 1994.

First, Michael B. *DSM-5. Manual de Diagnóstico Diferencial*. APA. Buenos Aires, Argentina: Editorial Panamericana, 2017.

Figley, Charles R. *Compassion Fatigue*. New York, NY: Routledge Taylor & Francis Group, 2015.

Friedman, Edwin H. *Generación a generación*. Grand Rapids, Michigan: Nueva Creación, 1996.

London, H. B y Wiseman, Neil B. Pastores en alto riesgo. Miami, FL: Editorial Unilit, 2005.

López de Mézerville, Helena. *Sacerdocio y burnout*. Madrid, España: San Pablo/Emaús,2011.

Núñez, Miguel. *Siervos para su gloria*. Nashville, TN: B&H Publishing Group. 2018.

Peterson, Bruce L. *Fundamentos del cuidado pastoral*. Lenexa, KS: Casa Nazarena de Publicaciones, 2007.

Radillo, Rebeca M. *Cuidado pastoral contextual e integral*. Grand Rapids, MI: Libros Desafíos, 2007.

Rothschild, Babette. *Ayuda para el profesional de la ayuda*. Bilbao, España: Editorial Desclée de Brouwer, S.A. 2009.

Sandrin, Luciano. *Ayudar sin quemarse*. Madrid, España: San Pablo, 2004.

Stewart, Gary y otros. *Preguntas básicas sobre suicidio y eutanasia*. Grand Rapids, MI: Editorial Portavoz, 2000.

Wright, Norman. *Cómo aconsejar en situaciones de Crisis*. Barcelona, España: Editorial Clie, 1990.